ちくま文庫

見えない音、聴こえない絵

大竹伸朗

筑摩書房

目次

遠景　記憶と創造

全景

近景　日常と創造

見えない音、聴こえない絵

木炭線画　大竹伸朗
装丁　池田進吾(next door design)

遠景

記憶と創造

等身大ポパイ

昭和三十四年（一九五九）からテレビ放映を開始したアメリカの水兵物アニメーション『ポパイ』を子供の頃よく観た。「波止場」という言葉がまだきわどく「昭和」に貼り付いていた小学校低学年の頃だ。

アニメ冒頭ではいつも操舵室の木製の扉がガッと開き、霧笛の音とともにその日のアニメタイトルが唐突に現われた。最後は決まってポパイが握りしめた缶詰からパイプをくわえたままの口にほうれん草をガッと流し込み、悪漢ブルートを殴り飛ばし危機一髪で愛するオリーブを救い出す、そんなお決まりの落ちは冒頭タイトルの出現と同時に百も承知だったが、それはどうでもよかった。

ある日、学校で「学級新聞」を作ることになった。担任の若い女教師は大きな白い紙を黒板に伸ばし四隅を丸い磁石で留め、説明を始めた。一年間のクラスの目標や行事、注意事項などを十二色のマジックインキを使ってみんなで絵を組み合わせ面白おかしくまとめて黒板脇に貼ろうといったことだった。

それが模造紙というものを生まれて初めてまともに見た時のことだ。こんな大きな一枚の紙が世の中にあったのかと驚いた。

なぜか新聞の下書きを任され、丸めたその大きな紙数枚を家に持ち帰った。帰り道、既に学級新聞のことは頭から消えていた。

大きくなったら漫画家になろう、そう決めていた。絵といえばマンガのことだった。それが地球上で一番カッコイイ仕事だと思っていた。

親に『マンガのかきかた』（秋田書店、一九六二年刊）を買ってもらい、その本から得た知識でGペン、ガラスペン、かぶらペンの三種類、ワラバン紙、インクを揃えて以降、鉛筆やマジックインキのランクは一気に降格した。また、自分にとって真っ白の紙とは、大きさを問わずマンガや気合を入れてお気に入りを描き取るための高級品であり、先生の力説する退屈な「学級新聞」用のものではなかった。

家に着き、早速二階の六畳間の畳の上に広げた。その上に何かを描きたいという思いは込み上げてくるのだが、初めて目の当たりにするその大きさと、いつもとは明らかに異なる複雑な思いはなかなか交差せず、横たわる模造紙をボーッと眺めた。やたらデカい紙だと再び思った。

ふと、デカいポパイを描こうと思った。そうだ「等身大のポパイ」だと思った。自分と同じ大きさのポパイしかないと思った。これはヤッタゾ！　という気持ちになった。デカい紙にデカいポパイ、これ以上の考えはありえない気分になっていた。あとは描くだけだ。

デカく描く方法は漠然と頭に浮かんだ。まず模造紙をタテに二枚並べ糊貼りし、よりデカくした。下書き用の鉛筆を利き手である左手に持ち、目の前の模造紙の上に仰向けにキヲツケ！　の姿勢で寝た。あとは頭のてっぺんに鉛筆の軸を当て、少しずつ自分の身体の輪郭を写し取っていった。

グルリとおおまかな形を途切れ途切れの線で写し終え、紙から起き上がり鉛筆の輪郭を目で追った。それまでノートに描いていたものとは異なる白い影のようなものがうっすらとその上にあった。

その形を目安に、今度はポパイ全体像のパーツを部分部分引き伸ばして描き込み、最後に色を塗った。

こうして予想を超えたデカいポパイ像が完成した。こんなポパイは見たことがなかった。先ほどまでの「ヤッタゾ！」の気持ちを明らかに超えていた。経験したことのない気持ちが込み上げた。

しかし、ポパイもデカいがその分周りの余白もデカかった。見ているうちに何か少しずつ思いとズレ始めた。

確かに予想以上の等身大ポパイはできあがったのだが、ポパイを取り囲む余白が気に入らなくなっていた。ポパイだけ切り取ってしまえと思った。最初から背景を描き込み大きな絵を描こうとしたのではなく、単にデカいポパイが描きたかったのだ。輪郭に沿ってハサミで余白部分を一気に切り取った。

目の前にはペラペラでフニャフニャのポパイが現われた。これには再び驚いた。ヤッタゾ！　とは微妙に違っていた。

目の前の畳の上のポパイが痛快だった。いつも観るテレビの中から本物のポパイが日本間にペロリと現われてきたように思え、並んで寝てしばらく天井を眺めた。それは不思議な体験だった。それまでのマンガを描き終えた気分と何かが決定的に違っていた。

以後、マンガを人間サイズに引き伸ばして描き、そして切り抜く遊びが始まった。お気に入りのキャラクターの顔を片っ端から人間サイズに描き起こし、そして最後に必ずその形をくりぬいた。描くことが目的だった頃とは違い、描きながら一刻も早く切り抜きたい思いが強くなっていた。

唯一作った全身像のポパイは引越しを繰り返すうち、いつのまにかなくしてしまった。青色の色鉛筆で描いた桑田次郎の傑作マンガ『8《エイト》マン』の宿敵デーモン博士を切り抜いた顔が今でも一枚だけ手元にある。

先日必要が生じデーモン博士を引っぱり出しあらためて見た。

思い出の一枚というよりは、自分の進行形の日常に深く結びついているような、かつて自分に起きた何かを無自覚なまま今日まで見落としてきているような、そんな気持ちになった。

デカくペラペラのポパイを畳の上に置いたあの時の興奮は一体どこからやってきたのだろう。描く、切り離す、貼る、それぞれのあいだの距離が頭の中で伸び縮みした。切り取った瞬間、あれはコラージュ初体験といったことではなかったのか。美術の辞書に「貼り付けの意」と定義され、漠然とそう信じてきたコラージュの意味、だが実は貼り付け以前がコラージュなのではないか。何かが切り抜かれた瞬間から貼られる間際まで、それが自分にとってのコラージュといったことではないのか、そんなことを思った。

模造紙に描いたポパイを切り抜き、畳の上に置いた時、ポパイは畳の延長線上にある自分が生きる世界に図らずもコラージュされた瞬間でもあり、その時目の前で今につながる時間が流れ始めたように感じた。

あの日ポパイと並んで天井を眺めながら包まれた解放感とは、紙の中の出来事と日常が貼り付くことから生じた時間に触れたことからの感情だったに違いない。

一枚の印刷物が切り抜かれる時、その中心も背景も一旦世の中にコラージュされる。中心や背景がそれまでの場所から離れ、変化し続ける世界と結びつき、意図を超えた時間の流れの中に放り込まれる。その後、何らかの意図によって再び貼られた時、それらは新たな意味をまとうコラージュ作品として成就する。

そんな意味とはまったく無関係の時間の流れの中に、実はコラージュの本質はあるのか。

久々に再会した切り取られたままのデーモン博士は、ペラッとしフニャッとしたあの日の感触を呼び込み、そんな屁理屈をあざ笑っているようにも見えた。窓から飛び去ったデカいポパイが今でも風に舞っている、そんな絵が浮かんだ。

二〇〇六年二月

五歳の春

「雑誌」とは実に不思議な物体だと思う。

日々次から次へと湧き出るようにこの世に現わる数限りないジャンルの雑誌を、フトしたきっかけで手にし、その中のいくつかはスクラップ本用に切り刻んだり破り取ったりする。ライフワークだとかなんだとか、そんな特別な強い意志があるわけでもないのだが、因果というものなのかそんなことを三十年近くも繰り返している。一体何のためなのかいまだにさっぱりわからない。飽きもせずビリビリジョリジョリと気になる印刷物と関わっている時、何かの弾みに向こう側からゆっくりとやってくる幼い頃の情景がそこに貼り付いているのを感じる。

昭和三十年代真っ只中、僕が二歳の時、道楽的な要素も多分にあったのか、親父は突然手打ち蕎麦屋を始め、それは数年間続いた。大田区南六郷、京浜急行雑色《ぞうしき》駅近く、工場が立ち並ぶ場所にその店はあった。店の出入口付近に設置された蕎麦粉入れの木箱の上はお気に入りの場所で、そこでマンガ本を広げ、店に来るさまざまな客をよく眺めていた。振り返ってみれば、自分にとって非常に芸術的なそんな雑然たる環境の中、時々客は読み終わった雑誌を店に置いていった。蕎麦屋に画集を持ち込む客など今でも少ないだろうが、客が意識的に店に置いていく本は硬めの文学書とはほど遠い労働者階級の友であるエロい雑誌類が多かった。幼稚園児だったある日、客が引いた頃合いをみて昼飯用に出されたざる蕎麦を一人食べていると誰かが置いていった一冊の雑誌が気になった。

それまで意識して店の雑誌を手に取る習慣はなかったが、何かの拍子にそれを手に取りパラパラやるとそこにはグラビア・ページに刷られたヌード写真が唐突に現われ出で、咄嗟にページを閉じた。それがおそらく印刷された裸の女が自分の中に入り込んだ初めての経験だった。ページ上には全裸の女が一人、野原でバレリーナのように高く片足を上げてにっこりと微笑んでいた。大人に見つからないようにテーブル下でパラパラやり、その雑誌を閉じ、とりあえず座敷席の座ぶとん下に隠した。もうざる蕎麦どころではなかった。

今考えるとよくあんな小さなカバンに入ったものだと思うのだが、翌日親に見つからないように二つ折りにして通園カバンに詰め込み、幼稚園でじっくりと見ることにした。

雑誌の中のヌードが人類のオスどもにどのような効用があるのかはわからなかった

が、親の前で堂々と絵本やマンガを見るのと同様のしきたりでは通用しないことは、そこは新参者のオスの本能なのかわかっていたのだろう。

　翌日、幼稚園後方席、机下でおそるおそるページを広げ、改めて刷り込まれたヌード写真というやつをじっくりと眺めた。同時期にテレビで偶然見たボブ・ホープ、ビング・クロスビーによる映画の「珍道中シリーズ」で、どうした話の流れだったのか、ジャングルに置かれた棺桶の中から突然現われたジェーン・ラッセルを見た時に似た感覚をグラビアページに覚えた。そのジェーン・ラッセルをモノクロテレビを通してみた時は、それまでに自分の知る男とか女というものではなく人類とは明らかに異なる生きものが目の前に出現したかの感覚に一瞬で支配されひどく焦った。クラクラ来た。幼稚園の教室でも、そんな感覚に捕まりながらエロ雑誌のヌード写真をドキドキしながら見ていると、突然背後から女の先生にコツンと頭を叩かれた。夢のアート本は即座に取り上げられた。放課後、速攻で母親が呼び出された。その後そのことで親に怒られた記憶はないが、あの幼稚園の教室で覚えた得体の知れないめくるめく感覚は今でも暗い教室に差し込む光とセットになって身体の中に残っている。

　蕎麦屋となりの空き地には成人映画用、ヌード劇場用の告知ボードがあり、ケバケバしい色ベタ上にスミ一色でヌードが刷られたポスターが定期的に二段貼りされていた。

後から思えばそれらはシルクスクリーン印刷物だったに違いなく、シルク特有のマットでボッテリとしたインクの印象が強く残っている。こちらに微笑みかける裸体ポスターが定期的に貼り出されるその壁面はお気に入りの一角であった。

幼稚園の頃、自分の体験する肛門付近の感触から「オナラ」というものはものすごく薄い膜の直径五センチくらいの風船状のものだという思い込みがあった。まず透明風船が肛門からプーっと膨んで現われ、パチンッと弾けると同時に風船内に充満した臭いが漂い出るものなのだと固く信じて疑わなかった。鏡に尻を向け四つん這いになって確かめれば済むのだが「オナラとは誰が何と言おうとそういうものに決まっているのだ！」と自分自身に言い聞かせるような絶対的な強いイメージを持っていてそんな確認行動に走ることはなかった。

幼稚園からの帰りには、落書き用にカバンに入れていたマジックインキで告知ポスターに刷られたヌードの尻にプッと膨らんだ風船をよく描き込んだ。自分にとってそれらのポスターはオナラ風船を描き込むことで一件落着する思いがあったのだ。それを目撃した友達に「それなあに？」と聞かれた時は決まって「オナラ」と即答していたが、理解してくれる友に出会うことはなかった。その後、「オナラ」は気体として肛門から出ることを知らされ、何か一つ青春時代が去ってしまったような気分になりひどくがっかりした。

その後も、ひるどきヌード目撃体験、告知ボードの「オナラ風船」の描き込み体験は自分の幼稚園時代に起きた忘れえぬ大事件であり続け、それらの情景はスクラップ本用の雑誌イメージと強烈につながっている。

一九八〇年代初頭に出した『LTD.』という印刷本が手元にある。十一センチ×八センチ、六十四ページの小さな雑誌形式の本だ。まだ展覧会を経験したことのない二十代半ばに作った本であり、その後正式な出版社から出た一冊目の本を除けば、この『LTD.』が生まれて初めて経験した自分の印刷本ということになる。

その頃はとにかく雑誌が作りたかった。正確には雑誌のような本を作りたかった。その『LTD.』を作るチャンスが突然訪れ、制作にあたりどんな本が作りたいのか問われ「雑誌みたいな本を作りたいです」と答えると即座に「テーマは何？」と聞かれた。

それは至極当然の質問なのだが言葉に詰まった。そうか、どんな雑誌にもまず何かのテーマがあって、その結果が「雑誌」という形になるのかと深く納得したのだが、正直テーマなどどうでも良かった。言葉で納得してもらえるテーマなど何もなかった。内側でどんどん先走りする衝動だけがあった。

自分にとって「雑誌」とは自分が興奮するページをどんどん作り、それが結果的に束になったものだった。

何かを作り出す時、当たり前のように耳にする「テーマ」とは一体何なんだろう。こんなことをデュッセルドルフあたりの美術学校で言ったら即座に微妙な空気になるのだろうか。たぶん、以前美大で経験した、あのなんとも気まずい失笑付きの無視だろう。

『LTD.』を見る時、蕎麦屋店内と一年だけ通ったたきじ幼稚園の教室と取り上げられたエロ本を思い出す。

二〇〇四年八月

絵の根っこ

仕事場の棚の上に一枚、額なしの油彩画が置いてある。淡青色の紫陽花が二輪、パレットナイフでキャンヴァスに一気に刻み込まれた小さな具象画で、裏には「1966、7、25」と大きく油絵具による日付が書き込まれている。シャープに盛り上がる絵表面のデコボコを眺めていると、いつも決まって小学校の頃出会った一人の画家の笑顔が浮かび上がる。

小学校三年の二学期が始まる時、都内の小学校を転校した。それまで六年間を過ごした大田区南六郷の工場地帯から新興住宅地として開発の始まりかけた練馬区に引っ越すことになったからだ。最終転居先に家を建てる一年間、池袋西口の木造平屋に仮住まいとなり、新学期を境に突然池袋駅から電車通学の日々となった。池袋の借家はかなりガタがきていたが、広い縁側があり庭には大きな柿の樹が植わる庶民的な日本家屋だった。

新たな借家はすぐ好きになったのだが、途中から通い始めた小学校に関しては、毎日の満員電車での通学や環境、人間関係の大幅な変化から次第に登校拒否状態に陥り、日々この世が肩口にのしかかってくるような重い感覚を初めて覚えた。

新しい小学校の担任はS先生という図工の先生だった。他の先生とは明らかに異なる風貌で、寡黙だが時々見せる笑顔が爽やかな大好きな先生だったのだが、それでも学校に行きたくない気持ちの方がはるかに勝り、さまざまな拒否行動を毎朝フトンの中で考えていた。

子供が学校を休む理由作りの定番は仮病だ。腹が痛いだ気持ち悪いだウダウダと布団でゴネれば嫌な学校に行かなくて済む、そんなことを一度は誰でも考える。もちろん親はハナから下心をお見通しで、すぐにその効力を失う。

あらゆる手段をつぶされ、最終的に一番効果があったのが便所ダッシュであった。起床直後布団から便所に駆け込み内側から鍵をかけ絶対に出ない、これだけだ。中で読む漫画本をあらかじめ中に置いておくか、もしくは寝る前に枕元に置いておき布団からの逃走時、それを手に駆け込むのだ。そんなことが二、三カ月続いた。個室の臭いなど学校にいくことを考えたらなんともなかった。

しばらくして、時折親が相談しているS先生は「担任」であると同時に、定期的に展覧会に絵を出品する「画家」でもあることを知った。

先生でありまた画家であるということが一体どういうことなのか、そもそも画家とは一体何なのかはよくわからなかったが、根気よく話を聞いてくれるS先生と自分にはなんとなく漫画（絵）が関係していることを感じたのか、西池袋自宅の臭い個室から時々学校に行くようになった。

学校の先生の部屋には何枚ものベットリとした表面の絵がいつも並んでいて、それらが「油絵」というものだということを初めて知った。部屋の中には油絵具を溶くテレピン油の匂いが立ちこめ、その部屋で先生と話す時間はいつも不思議と気持ちが和らいだ。そこは明らかに職員室のにおいと違っていた。

水彩で風景を描く図工の時間、学校周りの空き地で一人遠くの林を描いていた。ふと背後に気配を感じ振り向くと、腕組みをしてこちらを見下ろすS先生がいた。

「大竹の描く樹は蹴っ飛ばすとへコみそうだな、見えないけど土の中には太い根っこがあるよな」

いつもの笑顔でそう言うと他の生徒の所に行ってしまった。僕は返事もしなかった。一瞬絵をクサされた気分になったが、指摘された樹を見ると確かに弱々しく情けない薄っぺらな茶色の染みでしかないことはよくわかった。根っこを想像しながら樹を描くうちに真っ黒になってしまったが、できあがった絵を見た先生の表情はサッと笑顔に変わり「ずっと良くなった、ヨシッ！」と褒めてくれた。

また手の平をゴム板に彫る版画の授業もあった。左利きの自分は右の掌の皺に興味を持ち細かく彫った。見えない根っこのことが頭を離れなかった。刷り上がった版画を手に「大竹はこの掌だからドッジボールで強い玉を投げられるんだな」と言われた。

そんなことを繰り返すうちに、いつのまにか毎日学校に通うようになっていた。決定的なきっかけは覚えていないが、絵とドッジボール、そして放課後の遊びが関係していたことは確かだ。工場地帯の南六郷で覚えたワイルドな遊びが、住宅地に住むおとなしい子供らに予想以上のインパクトを与え、一気にたくさんの友達ができた。

運動会前、競技の時間割カバーを描く授業があり、家から割り箸を持ってくるように言われた。割り箸を各自削ってペンを作り、それで絵を描くという内容だった。こんなもので絵なんか描けるのか半信半疑だったが、先の尖った割り箸を墨汁に浸し画用紙に走らせると、見たことのないボテッとした線が目の前に現われた。鉛筆のように割り箸ペンを削りながら絵を描くことにも興味を覚え、上半身真っ黒のランナーを描いた。その絵は運動会のパンフレット・カバーに選ばれ、初めての印刷物になった。

ある日、池袋の東口で鞄屋を経営していた祖母が西口の家にやってきた。俳句や三味線といった芸事が好きで、俳句の素材探しの意味合いもあったのか、絵を観ることにも興味のある祖母だった。

その祖母が一緒にS先生のアトリエに行こうと言い出した。アトリエとは画家の仕事場であり先生が好きな絵を描く場所だと祖母は言った。しばらくして祖母と二人、

S先生のアトリエを訪ねた。祖母は着物姿でいつもよりかしこまっている感じがした。今思えば心配していた孫を立ち直らせてくれた先生への御礼を伝えに行ったのかもしれない。

正装した祖母と二人という不慣れな状況もあり、雰囲気は退屈だったが、初めて見るアトリエの様子を椅子に座って長い間窺っていた。焦茶色の木の床上には、ところどころ絵具の染みがあり、学校の先生の部屋ともまたまったく違う空気を感じた。

帰りがけに祖母はアトリエの壁に掛かる数枚の描きかけの絵の中から紫陽花の油絵を選び、それがどうしても欲しいと先生に伝えた。なぜその絵であったのかはまったくわからない。

しばらくして完成した油絵が祖母の家に届いた。そこで絵を見た時、確かにその紫陽花の花には入り組んだ根っこがあるように思え、先生と画家の違いがなんとなくわかったような気がした。

二〇〇七年六月

時の印刷

四谷見附交差点横断歩道の信号待ち、反対側の歩道に立つビルの屋上を見上げると、青空の中に横組の「コラージュ」という謎のサイン文字がヌケヌケと浮かんでいた。

ビルのてっぺんにコラージュされたその「コラージュ」文字はかなり大きい。

うろ覚えの記憶ではそのバカでかい「コラージュ」はかなり以前からそこにある気がした。そのあたりを歩くといつも不意にそれは視界に飛び込んでくるのだが、そうするといつも「コラージュねえ、ビルの上からそう正面切って言われてもねえ……」と、空から永遠の疑問を突きつけられるような気分になった。

美術用語の「コラージュ」は「貼り付けの意」と辞書にある。いたって明解だ。何かと何かを貼り合わせること、そこには何と何を貼るのかは具体的に書かれてない。

確かに明解だが禅問答のようでもある。「貼り付けること」の解釈をぶっきらぼうにこちらに投げかける。投げかけるその先がビルの屋上ということなのか。それも「コラージュ」と言えなくもない。

考えてみれば世の中に数多くある「コラージュ」による作品について意識して調べたことがない。この二十五年、「貼り付けること」は、確かに自分自身の出来事には違いないが、それが一体何なのか何もハッキリしないいまだ。

選び抜いた素材を究極まで無駄を削ぎ取った構図の中に構成したもの、絵の一部に効果的に貼り込まれたもの、幾重にも貼り破きまた貼られたもの、「コラージュ」といってもさまざまだ。

最小にしろ過剰にせよ「コラージュ」とは素材を足していく技法と言えそうなのだが、どうも事はそう単純ではなさそうだ。自分が「コラージュ」において反射的に興味が湧くものには、「貼り付け」という足す作業で覆われた表面にゼロ状態のバランスを感じるもので、そこにはスタイルは関係していない。

「＋と－」、こちらに食い込んでくる「コラージュ」にはそんな電極のバランスに似たものをいつも感じる。

多くの子供と同様に小学校低学年の頃は好きなマンガをチラシの裏やノートに描き写していた。一生懸命描き写した絵がオリジナルの形とは違ってしまったとしても、ニュアンスにおいて「これはイケた！」と思う時があり、また逆に定規で形を細かに計り時間をかけて描き写してもそういった快感に至らないこともそんな遊びで実感した。この感覚はすごく不思議なものだった。

きっとこれは「匂い」のようなものなんだろう、とその頃は思っていた。今思えばその匂いとは人が何かを見た瞬間、その人の頭の中に現われるイメージ、もしくは体で感じる皮膚感覚のようなもののなのだろう。最初に嗅ぎとった匂いが描き写した絵の中に漂っていること、それが自分にとって一番大事なことであり、決して見た目の形がすべてではないという興奮はマンガ写しに拍車をかけた。

そんなことを繰り返していたある日、当時お気に入りだったちばてつや氏による異色戦記マンガ「紫電改のタカ」（一九六三年七月〜一九六五年一月）の四色刷り表紙に挑戦したことがあった。まず主人公のアップを描き写し、作業が戦闘機に移った時だ。こちらに向かって飛んでくる正面からみた二機の戦闘機の高速で回転するプロペラ部分は基本的には円と斜線で示されていたのだが、そのプロペラと背景との境界線が曖昧で妙に困ったことになったのだ。結局描き写すことを止め、プロペラ部の円形は無視し、機体ボディ部のみを輪郭に沿ってハサミで切り取り画用紙の上に適当に置いてみた。なぜその時切り取ろうと思ったのかは記憶にないが、おそらくそうすることが一番その時の匂いに近づくと思ったのだろう。

結局プロペラのない二機の紫電改は一瞬羽をむしり取られたトンボのようにマヌケに見えたが、紙の上には必死に写し取っていた今までの絵とはまったく異なる世界が突然現われた。切り取って置いた、やったことはそれだけだ。初めて見るその世界が動かないよう急いで納得のいく位置に貼り付け、プロペラの円を鉛筆で描き加えた。最後に描き加えたプロペラは見事に歪んだ円ではあったが、それでも鉛筆の線が加わることで切り取られた二機の紫電改はみじめなトンボから空を飛ぶ戦闘機に変身した。切り取る前の表紙の戦闘機とも描き写そうとしていたものともまったく違うものがそこにはあった。なにかそれまで経験したことのない達成感を感じた。

それ以降も気に入ったものを描き写すことに変化はなかったが、描いたものをハサミで切り取ること、また自分が描いたものでなくても気に入った図柄を切り取ること、また切り取ったものと描くことを組み合わせるなどといった手法が新たなバリエーションとして遊びに加わった。

一枚の紙の上に描くだけでは起こり得ない異世界は、そんなプロペラの円形に対する戸惑いから思いついた突発的な作業から始まった。

何かと何かを貼り付けること。考えてみれば人と人の出会いも「コラージュ」に似たようなものだ。人からの「影響」といったこともコラージュの「効果」に似ている。明解な「因果関係」からではなく、記憶にない人とのおぼろげな出来事から、より深い影響を受けていた、といったことはまま起きる。

コラージュでものを作っている時も、絵の中心を占める効果的な素材を意識しすぎる状態は既に守り意識の中におり、それ以上の地点に行きつくことはできない。逆に下地として無意識に貼り込まれた背景やゴミ箱の中に無造作に捨ててしまっていた切れ端の方が未知数の一部として絵がとどまっていることが多い。日常にせよ作品にせよ、「影響」とか「効果」というものは、当人が気づきえない所にあり続けていることによって絶妙なバランスがもたらされているのだろう。

意識と無意識の編み目の中をどのように自分が泳ぎきるのか、そんな微妙なかけひきが貼るものの裏側に潜んでいるのかもしれない。

新聞チラシや雑誌の中、時計の広告を不意に目にすることがある。薄い紙上でのそれらの秒針は一様にペラペラに固まり、いくら見つめていても印刷された「時」は動かないことになっている。

美術とか芸術とはまったく別の場所で、あの日、カラーページを切り取った瞬間に戦闘機のプロペラは廻り始めた。「印刷された時計」が新たな時を刻み出すことも時にはある、そう今でも思う。

二〇〇四年一月

鉛筆の遠吠え

ポッと蚤の市のような場所に足を踏み入れた。何か予感がした。なんかあるゾと何気なく思った。ユルい人混みをブラつき、積まれた雑誌の束の前をスッと通り過ぎる。束に挟まれてボロボロに崩れた赤い本の背がチラと視界を横切り、グッとにじり寄った。束をガッとかき上げ、それを引き抜いた。これだなおそらく。瞬間、内側からとてつもない制作衝動がザッと込み上げた。

古い、パリのホテル内のカフェのものらしき帳簿だった。真っ赤なカヴァーには横たわる左向きのライオンが「１９０３」と打たれた数字とともに金色に箔押しされている。開くと一ページ四日毎に区切られた古めかしく業務的なデザインの罫線に、筆記体の消えかけたインク文字が並んでいた。

その日焼けした帳簿ノートの中に衝動を詰め込む手段は必ず「鉛筆の線」だ。ＨＢの鉛色のくい込み線や擦れで帳簿ノート一冊丸ごと隅から隅まで埋め尽くすのだ、そう思った。他の画材ではなく「鉛筆」の鋭い先端で刻み込むこと、帳簿を手に思いは勝手にそこまで暴走する。

代金を支払いその帳簿ノートは手元に来た。

衝動冷めやらぬ間に鉛筆を手に早速作業をスタートした。鉛筆の先は目の前の紙の繊維のディテイルに食い込んでいく。力を入れすぎて散った先端のカケラは消え去るまで指先で擦りつける。紙が汚れていくほど快感は増す。とことん汚れろ、だ。

そんなことを繰り返し、五、六ページを埋め尽くすあたりから、スッと「間」が入り込む。圧がジワジワ上からのしかかってくる。突然「圧」のかかる帳簿ノートへの描画作業は結局「届かなさ」に至る。

いつも唖然とする。愕然となる。こちらのテンション度合いに変化はないはずだが、そのあたりでグッと逆方向に圧力がかかり始める。

このまま作業を進めても、このまま一生休むことなく続けたとしても、鉛色の合計面積と地球上の表面総面積との桁違いの差を押しつけられるような、まったくもって理不尽きわまりない塊にブチ当たる。描き出す前からそこに突き当たることはいつもわかっている。立ち止まって考えてはいけないこともわかっている。見て見ないふりで作業を続けることになる。その先にふっと絵を描く気分が降ってくる。

この感じは、「鉄腕アトム」を描き写していた子供の頃もあったなと、思った。

今まで他人の美術作品と出会うことで抱いたさまざまな思いについて、ふと考えることがある。いい思い出、さんざんな思い出、さまざまだ。どうしてもわからなかったことが一本の線でスッキリしたこともあれば、いくらやっても「追いつくわけがない」と諦めかけたこともある。

自分が明らかに影響を受けた西洋美術との出会いから、衝撃を受け、いまだ記憶に残り続ける一番古い出来事は一体何だったんだろう、そんなことを考えた。

絵にまつわる記憶の逆流は、三十代、二十代、美大の頃、高校生から中学を経て小学校の図書館に行き着いた。手にする開いた本の「犬の絵」を見ている自分だ。

八歳、転校による電車通学を機に家にひきこもるようになった時期、学校の図書館で時間を潰すことを覚えた。その空間では新しい環境に一切気を煩わせないでいられた。

九歳、小学校四年の時、暇つぶしに立ち寄ったその図書館で手にした伝記本に九歳のゴッホが描いた「犬の絵」の印刷図版を見つけた。衝撃だった。見た瞬間、頭の中にはランドセル姿のゴッホが鉛筆を手に犬を描く図が浮かんだ。

そんなイメージと、目の前の犬の絵の生な感じの間に置き去りにされたような気がした。

自分と同い年の子供が一本の鉛筆と目で摑み取った世界は、もしこれが事実なら大変な出来事に違いないといった空気は、印刷図版から十分伝わってきた。

対象の比率バランスがとれた絵は一見うまく見えるが、それが生きている絵か死んだ絵かの微妙なニュアンスとは無関係だ。犬の絵は子供が描いたとは信じがたいバランス表現以上に、犬のライブ感が全面に表現され、心をグリッと食いつかれた感触があった。

その思い出は強烈に頭に残り続けた。二十歳を過ぎた頃からその犬の絵への思いが強まり、数年前見つけたその犬の図版を久々に眺めた。

前足を踏ん張り必死に何者かに牙を剝いて吠えたてる痩せこけた犬の姿から受ける印象はまったく変わらなかった。やはりその絵はすさまじいと思った。今度はその犬の吠えたてる画面外の対象が気になった。他の犬なのか人なのか。画面の外には今それを見ている自分がいると初めて思った。

この犬の絵は、後のゴッホが九歳の時に描いたからすごいのではなく、その絵を描いた九歳の少年が紆余曲折を経てゴッホになったという事実がすごいことなんだろうといちおうは思った。が、心の中では矢印型をした時間軸が狂った磁石のようにクルクル回っていた。

その絵の前に立てば、犬を描いていた九歳のゴッホとほぼ同じ距離に自分の身を置きこの目で見ることができる。その体験は、自分にとって同じようにあの「ひまわり」の前に立つこととは明らかに異なる体験だと思った。

犬とひまわりとの間にある理屈を超えた距離に何かほっとする思いがした。「昔がココにある」ということはすごいと思った。

興味を抱くアーティストの子供時代の作品と不意に出会う時、まだ世の中の仕組みと向き合う以前にしか起こりえない、鈍い光を放ちながらゆっくりと回転し続ける「衝動原石」のイメージが浮かぶ。一生の中で、人が納得できる地点に至るまでの時間の中、予期せず起きてしまった衝動の爪痕のようなもの、先のことなど知るよしもない強烈な思いのカケラのようなもの、興味の鉾先はそこに向く。この人は九歳の時どんな衝動を抱えていたのか、どんな線を引いていたのか、そんなことを思う。完成度やコンセプトを剝ぎ落としていった結果、残ってしまう正体不明のもの、美術はそこからどんどん離れていってはいまいか、犬はこちらの立ち位置に向かって吠えたてる。

あの日作業を始めた帳簿ノートは半分ほど線で埋めたところでパタリ中断したままだ。

一冊埋め尽くすことに何の意味があるわけではないが、残りページに嘘をついているようでどうも居心地が悪い。こんな時はどこからともなくゴッホの犬がやって来る。ひまわりではなく犬が来る。遠吠えが聞こえ始めると、こいつは一体何者だという思いが忍び寄り、再び赤い帳簿を開く。

二〇〇六年三月

斑模様の遠近法

小学校低学年の頃、誰でも一度はするようにお気に入りのマンガ写しに夢中になった。

そのうち、写し遊びは主人公の顔を描いてから切り抜いて別紙に貼ったり、ペンとインクでオリジナルの野球や探偵物マンガを描いたりすることに変化していった。学校のマンガ写しの得意な生徒グループにも潜り込み、時々誰かの家に集まって流行りのマンガ頁の写しっこをよくした。

そんなことを繰り返していたある日、「形」そのものとは別に、そこに「感じ」といった感覚がふと意識の中に入り込んだ。

一目置かれていた一人の友達の描く形は、確かに比率が正確だということはわかるが、内心自分の絵の方がよりマンガの雰囲気に近いと思った。形と雰囲気には、必ずしも常に合体するわけではない微妙な関係がある、そんなことを感じた。あえて言葉を探すなら、形を覆う体温といった感覚だった。オリジナルに近い形に仕上がったとしても機械的な線の痕跡で終わることもあれば、若干歪《いびつ》な形でもオリジナルの感じに近く血の通う温かい雰囲気に仕上がるものもある、そんなことを感じた。

ヒョンなことから、マンガ写しは紙上から実用品へと移動していった。

海の向こうには子供用品にも無地のモノがあることを知ったのは当時放映中だったテレビ番組「名犬ラッシー」だった。その中では飼い主の男の子がいつも無地のバスケット・シューズを履いていた。新聞少年である男の子が配達先の玄関目がけ遥か遠くから芝生越しに八つ折りの新聞をまったくブッキラボウに放り投げ、スタンドのない自転車から降りる時は傷つくことなどおかまいなしに路上に投げ出し、大人と同じ無地のバスケット・シューズを当たり前に履いている。それらはショッキングな出来事として心に焼き付いた。子供用既製品といえば、何かしら柄模様が強制的に付いていた時代、ブラウン管から唐突に投げかけられた「無地」の発見と素っ気なく乾いた光景は、自分の中の「マンガ」に対する意識にもかなりの影響を与えた。

あまりに子供っぽすぎるキャラクター付き上履き入れや下敷きを毎日学校へ持ち運ぶ屈辱感は、カイロ用ベンジンやハサミを駆使してそれらを剝ぎ取って「無地」にし、マジックインキで好きなマンガを自分なりに配置して描くという呆気ない方法で一気に解消した。

ある日、クラスの女の子が上履き入れに描いた絵を下敷きに描いて欲しいと言ってきた。それをきっかけに休み時間、希望の品を手に並ぶ列が席前にでき、「ニュアンス」や「雰囲気」というものは他人にも伝わることを知った。稀に正確な「形」の上に「感じ」がうまく重なった時は言葉にしがたい快感を覚えた。

「マンガ」と図工の時間の「絵」の間には、何か両者を隔てるものが横たわっていることを薄々感じ始めていた時期、「絵の賞」とは一体何なのか、不思議に思っていた。

各学校が選んだ優秀作品を区の図画工作コンクールに定期的に応募するといった仕組みだったのだろう、ある日の図工の時間、区主催の図工作品展示会場をクラス全員で訪れた。

展示会場は公民館のような建物内の一室が穴開きパネルで仕切られ、ところどころ台が置かれた場所で、そこに段掛けの水彩画や粘土等の立体物が学年の賞別に並んでいた。選ばれた作品の右下には、筆文字で賞名の書き込まれた細長い金色の折紙が貼られ、一般の大人がそれら一点一点に見入り話している光景に、「絵」には教室以外の世界があることを初めて知った。

そんな中、同年代の見知らぬ生徒の水彩風景画を目にした時、とんでもない異物に出会ったようなショックを受けた。絵のところどころが出っぱっているような違和感を感じた。

画面四方の近景には大きな木の幹と葉っぱが描き込まれ、樹々の隙間から遠景の街並が見え隠れしていた。会場でその絵を見ながら思い浮かべる自分の絵は、少ない色数がペロッと塗られただけのニセモノにしか思えず情けなくなった。

賞というものに結びつく絵には明らかにマンガ写し絵とは異なる大人の世界があり、自分とパネルの間にも目の前の遠近法の風景に似た近くて遠い「距離」があることを感じた。

マンガ以外にどんなものをどうやって描いたら自分の絵が目の前のパネル上に並ぶのか一生懸命考えてみたが、それまで学校からはコンクール用に一度も推薦されたことがないことに初めて気づいただけだった。

当時は余裕のありそうな家の女子はクラシックピアノを習うという風習があったためか、絵画コンクール会場の受賞作品には洋間に置かれたピカピカの黒いピアノのイメージがダブった。自宅六畳間のコタツにデンと乗った趣味を疑う朱色のデコラ板上のマンガの写し絵は潔く白旗を掲げていた。

その後一度だけ、コンクールの応募メンバーに選ばれ「花瓶と花」を描いた水彩画を提出したが、あっさり落選。しばらくたってから、金色の箔押し文字で参加賞と捺された蜜柑色の消しゴム付鉛筆一本を放課後に先生から受け取った。手元のねぎらい鉛筆を眺めるうち、記憶の中の眩しい遠近法が浮かび、かえって貰わない方がよかったと落ち込んだ気分になった。

中学に通い出した頃には興味を持ち始めた油絵具やカラーインクを使って、好きなミュージシャンやファッション雑誌の中の写真を元に相変わらず絵を描いていた。それは中学生版マンガ写し絵だった。部屋の壁にどんな絵が掛かっていたらカッコイイか、そんなことばかり考えながら絵を描いていた。

高価な専門用紙やキャンヴァスなどは頻繁に買うわけにはいかず、失敗した絵は、画用液で薄く溶いた何かしらの一色を何度も塗り重ねて均一にし、再びその上に違う絵を描いた。

ある時、画面全体に塗り始めた青色の透明液の膜を通して、絵の全体を眺めた。絵の表面に目をこらすと、元絵のさまざまな色に同一の青が重なり、予期せぬ新たな色がいっせいに浮き上がっているように見えた。斑模様の絵の中にはさまざまな距離が一瞬で生まれたようにも思え、その距離は小学校の頃見た水彩風景画の中の出っぱり具合を引き寄せた。

絵はどの地点から何度でもスタートしていいのだ、また、失敗地点は新たなスタートラインにも成りうると思った。あの日絵の中にふと感じた距離は、マンガの写し絵からしかたどり着くことのできない「斑模様の遠近法」だったと腑に落ちた。

二〇〇八年二月

ブタの教え

先日近所の家が取り壊され、家主から古い花札セットを二組もらった。こういう瞬間、なぜか日々の足下を考える。

一組は使用済みのバラ札が入り、もう一組は四色カラーに加え、金銀色刷りの包装紙に包まれた未使用のものだ。丁寧に包まれた包装紙は切手状のナンバー入りシールで閉じられ、その上に緑色の検査印が押されている。この組み合わせも意味深だ。昔は遊び道具一つとってもモノが人の手に渡るまでに複雑な工程が当たり前にあったと思った。

その小さな直方体の印刷面を掌に乗せて眺めているうち、古い記憶の中に二つの印刷物が蘇ってきた。花札と切手の思い出だ。

子供の頃、親父に花札のオイチョカブの基本を教えてもらい、しばらく熱中した。親父が博打好きだったといった記憶はなく、なんであの時オイチョカブを教えてくれたのか今頃になって不思議に思う。当時、家は蕎麦屋だったので、一時的な客との流れだったのかもしれない。遠い記憶の中、蕎麦屋の二階座敷で親父と自分の間に敷かれた座布団上に紙ケースに納まった花札がポッンと浮かんだ。

それはテレビ時代劇に出没するヌフフフ笑いの御代官様にそっと手渡される包金小判を思わせた。なんか旨そうな感じがした。表の世界がカルタなら裏に花札が位置する感触があった。それが花札との初めての出会いだ。

ルールといっても子供相手なので正式なものではない。裏返しの花札の束を挟んで向かい合い、お互い開いた四枚の札の上に山札から二、三回ずつ花札をめくり、合計数の一の位が「九」に近い者が勝ちといった単純なものだった。

なぜ「九」にしなくてはならないのか、そこがよくわからなかった。

切りのいい「十」ならば納得がいくのだが一歩手前の「九」。

逆に「十」はブタ、最低の笑い者だ。ココで止めるのかもう一枚イクのか、カブかブタか、その一回の判断で状況がガラリと変わってしまうスリルに興奮した。

「九」と「十」の間で奈落の底につながる「一」の闇、そこに大人の味を感じた。わからなくてもいいが、わからないなりに納得のいく「○」から「九」までの世界、オイチョカブは面白いと思った。

その後、子供同士花札をラムネをグビグビやりながら立て膝で熱中した記憶はさすがにないが、カルタとは異なるシンプルかつポップな絵柄、コンパクトサイズだが重みのある札の束、札どうしを叩き付けた時の音など、紙ケースの柄や匂いも含め独特な存在感に魅了された。

その時「九」をカブ、「八」をオイチョと呼ぶことを知った。○-ブタ、一-ピン、二-ニゾウ、三-サンタ、四-ヨツヤ、五-ゴケ、六-ロッポウ、七-ナキ、初めて耳にする言葉の響きは新たな座布団のイメージにつながった。

そんな遊びに興じている時、新聞を見ていて自分なりに発見したことがあった。

小さなモノクロ写真入り死亡欄を眺めている時、ゼロで始まる人の一生のほとんどは、最終的に二桁の数字で表記されることに気づいた。自分自身が選び取ることのできない二つの数字によって終止符が打たれてしまう人の一生は、なんて頼りなくまた思いどおりに行かないのだろうと思った。

そんな風に眺めていた二つの数字は二枚の花札に入れ替わり、オイチョカブと死亡欄が自分の中で結びついた。死亡年齢二桁の数字を足すと、カブの人、オイチョの人、ブタの人というように、人の一生はオイチョカブ式に置き換えられると思った。これは大きな発見だった。

悪趣味でバカげた発想ではあったが、一八、二七、四五、六三、九〇……同じ「カブの人」でも数字の並び方でそれぞれまったく異なるイメージの人生が浮かんだ。

死亡年齢をオイチョカブ式呼名に当てはめると、そこに勝ち負けを超えた「オイチヨ」も「ブタ」もないそれぞれの様相が広がっていた。「よくわからないが納得のいく」世界でつながっている、そう思った。

「切手」は八つ年上の兄の思い出だ。

当時中学生だった兄は、アメリカンポップスのシングル盤レコードやスター・ブロマイドと共に、世界中の切手をサイズ違いのハードカバーの切手帳に整理し集めていた。

和物と洋物に分類された切手帳を、兄の不在中こっそり眺めた。実用重視のメンコとは違い、専用切手帳に鑑賞用に整理された色とりどりの切手を初めて見た時の思いを言葉で表現するのは難しい。心の中に止めどなくにじみ出る色を帯びた喜びに似た感情、もっともっと無数の切手を見てみたいと興奮した。隣り合う切手のレイアウトによってページの印象がガラリと変わることにも興味を引かれた。

思い返せば、切手と切手帳の関係は、世界各国の印刷物のパーツを組み合わせてページを構成するという点において現在日々制作するスクラップブックにすごく近い。四十年以上の時間を経てやっと思い至ったことの一つだ。

切手帳の方が、ページ内で組み替え可能な分、パーツを固定してしまうスクラップブックよりも自由だとも言える。

兄の切手帳の中で一番印象に残っているのは、四色刷りのカラー切手ではなく、なぜか一色か二色刷りの淡い色調の切手だ。

それらは海外の列車シリーズだったが、見た瞬間、心地好い違和感を感じた。キッチリと物事を言いきっていないスカスカな感じが「変」であり同時に「美しい」世界、見たことのない小さな色面がスッと心の中に入ってきた。そこには空想の中の「外国」が透明の膜として印刷面に貼り付いていた。なんで色数の少ない切手に「外国」を思ったのか、いまだによくわからない。よくわからないが美しいと感じたその時の感覚は今でも強く心に残っている。よくわからないが納得のいく世界、それは自分の中でどこかオイチョカブの感覚ともつながっていた気がする。

誰の日常にも起き、見た瞬間記憶から消え去るような些細な出来事、実はそんなことがそれぞれの人の一生に多大な影響を及ぼしているのかもしれない。

花札や切手との出会いから展開した予期せぬ発見の数々は、印刷と創造の本質にしぶとくつながっている……オフセットインクの匂いが鼻をかすめる時、ふとそんなことを考える。

二〇〇七年九月

黒の盤景

先日、音楽雑誌からレコード・ジャケットについて取材を受けた。音楽内容とは関係なく好みのジャケットについて何でも語ってくれという心そそられる申し出にありがたく乗らせていただいた。

僕の年代にとって、音楽はレコード盤と強く結びついているので、紙ジャケットに対する思いも強い。身になることなど話せないとわかっていながら「レコード」に関する話題には反射的に首を突っ込みたくなる。レコード・ジャケットに対しての自問自答を、こうした機会に繰り返しているのだろう。

レコード・ジャケットにまつわる話は、すでに語り尽くされた感がある。様々な雑誌をめくりながら、素人目にも新鮮な括りのテーマ探しがなかなか難しい分野であることは察しがつく。目にした記事が明らかに後追いによる知ったかぶりウンチク解説だったりすると複雑な気分になる。個人それぞれの思い出や思い込みもジャケットに貼り付いているので、語れば語るほど単なる極私的独白に陥る。

そんな思いもあり「好きなジャケットをいくつか挙げて下さい」と聞かれてもそう簡単に気の利いた返答など出てこない。なぜそれが好きなのか、いまだに言葉にできないものもたくさんある。「好きだ」という気持ちを極めて客観的にうまく表現しにくいのがレコード・ジャケットだ。その点は、どんな絵が好きか他人に聞かれた時の反応に似ている。

シングル、LPに限らず古いレコード・ジャケットに名前や購入日の日付けがヘタクソな文字で書き込まれたものを中古屋で見つけると当時の空気が蘇り、心がおどる。当時は音楽を聞きながらレコード・ジャケットをじっくりと眺め、クレジットや歌詞を読み込むことが常だったのは、音楽への思いというよりは単純にそのサイズが関係しているのかもしれない。時々ジャケットに直接絵を描いたり切り抜きを貼り付けたりした思い出がある。作品を作るといったことではなく、気分的な落書きだった。できるだけミント状態でコレクションするといった考えとは真逆で、好きなレコードほど自分の印象をその上に印すことが快感につながり、そうすることで自分なりにカスタマイズした満足感も得た。

七〇年前後中学生の頃、よく通った駅前のレコード屋店内を頭に浮かべてみる。現在、街中で見かける中古レコード屋と大した違いはない。壁には演歌や歌謡曲のプロモーション・ポスター、カセット棚、横長の仕切りを挟み棚が左右に邦盤、洋盤と分かれていた。レコード棚にはそれぞれあいうえお順、アルファベット順、売れているものは名前やバンド名で分類されていた。パソコンによる検索などない時代、不明点はプロモーション・チラシが乱雑に垂れ下がるレジの店員に直接聞いた。レジの人物とどのような関係を結ぶか、それは音楽に関する知識はもちろん、オマケ・ポスター確保に関わる重要なやりとりでもあった。購入したレコードを入れてもらう店のLP用の袋、その袋の図柄も今になって考えれば、アルバム・ジャケット同様に、店の品揃えの傾向やそこでの些細な会話などの記憶と直結する。

LPそのものを改めて観察してみると、かなり厳重な梱包であることを再確認する。レコード盤、中袋、アルバム・ジャケット、透明ビニール袋、これで一セット、邦盤であればジャケットにレコード会社のコピーの刷られた紙の帯が巻いてあるかアルバム上部にかぶせてあった。かなりの豪華版仕様だ。

注文から数カ月かかって忘れた頃届いた洋盤に至っては、腫れ物に触れるように盤をジャケットから取り出し、匂いを吸い込んで原産国を思い浮かべた。国による紙と印刷状態の違いを初めて意識したのはレコード・ジャケットと切手の存在が大きい。

音楽好きの客はそんな風に丁重にセットされたアルバムをサクサクと棚の前で物色したり店員と無駄話をしつつ時間を過ごした。モノの実体に触れることのないデータやりとりが当たり前の今の時代からは信じがたい出来事が日常の一部だったとつくづく思う。

以前、色とりどりにレコードの上部をのぞかせて並ぶ当時の店内光景を頭に浮かべた時、ふとレコード・ジャケット一枚一枚が「本のページ」に見えたことがあった。レコード・ジャケット上部の集積が、三十センチ角のブ厚い本の小口を思わせたのだ。そう思いつつアルバムをじっくり眺めてみれば、二枚の印刷済み厚紙の間に挟み込まれた塩化ビニール音盤入り特殊ページに見えなくもない。演歌の邦盤ダブルジャケットの間に歌い手の縦長折り込みポスターや歌詞がページとして挟み込まれているものが何枚か手元に残っているが、そこにはすでに制作意図を超えた所で「本」形式が成されている。

当時、アルバムを「本のページ」として意識できなかったのは、あくまでもレコード盤自体が確固たる主体であるという時代意識が気持ちを支配していたからだろう。

手持ちのレコードをすべて綴じたら一体何ページの本ができあがるのか、世界中で今まで生産されたレコード・ジャケットを一冊の本に綴じたら宇宙まで届くブ厚い本になるに違いない、そんなことを考えたことがある。

レコード屋とは、その丸ごと一軒が実は一冊の本ではなかったのか、そこに通うこととは、本のページ内に足を踏み入れ、その中を歩き廻ることだったのではないか、音付きのページをバラ売りする場所、それをレコード屋と呼んでいたのではないか、そんな夢想がめぐった。巨大な図書館の本棚に並ぶ本一冊一冊が世界に無数に散らばるレコード屋一軒一軒であるかのようにも思えた。

レコードを「アナログ盤」と言い始めたのは、八〇年代初頭にＣＤが出始めた頃だったのか。初めてその名詞を耳にした時、一体それが何を指すのかわからなかった。レコード盤のことを指すのだとわかってからも、今ひとつ自分の中でピタリくるものを感じなかった。レコードをアナログと呼ぶ人が身の回りに増えるにつれ白けた気持ちも募った。デジタル／アナログといった音処理の形式のみでレコード・アルバムを語り切ってしまうことに対する納得のいかなさから来る思いだった。その呼び名が常識となったとき、レコード・ジャケットの役目は決定的に何かを終えたのだろう。

音楽が無臭の殺人ガス同様の体を成してきた今、ＬＰレコードと呼んでいた黒い物体を思う時、アナログ盤と呼ばれ実体のない世界の様子をうかがっていた真っ黒の塊が不気味に転がり出す。

近い未来、予期せぬ場所から新たな価値観をまとうビニール盤は再び姿を現わすに違いない。

二〇〇七年八月

マナ板の記憶

　十代の頃から妙な性癖がある。道端に放置された、あるモノの上に絵具を塗りたくなる衝動が湧くといった性分だ。もちろん四六時中起きるわけではない。いつもそれを意識して歩いているのでもない。にもかかわらず昼夜を問わず主に歩行中、何かの拍子に特定のモノが視角に入り込んだ瞬間、衝動が無意識と直結する。それが一体何なのか、うまい表現が見つからない。自分にとって確実に重要な一部であるという認識。そして、たとえ一本の線であってもそこに自分が関わることで見てみたい何かが現われるであろうというおぼろげな確信。

　すべて頭で考え始める手前の一瞬の出来事だ。世の中とは断ち切れた心に目的のない使命感が立ち上がり、遭遇時、モノを三歩過ぎた辺りで立ち止まり四歩後退、直結してしまったモノの前に立つ。これを他人に説明し始めると、いつもややこしい世界に突入し、ジワジワと後悔の念が忍び寄る。

出会った瞬間、その上にノるべき色や線が目の前のモノと合体した結果あぶり出されてくるであろう「質感」とか「手触り」といった感覚に背中を押される。結果それを持ち帰ることになる。

今まで持ち帰ったそれらのモノ自体に何かしら共通項を見出せればいいが、いつも見事にバラバラだ。その一貫性のなさは自分自身の一貫性のなさとかけ合わさり、〝一貫性？〟とラベルの貼られた小さな鉱物にコツンと突き当たる。〝一貫性〟とは一体何をさすのか。

十年ほど前、新宿の裏通り脇で出会った、使い古された「マナ板」には速攻でシビれた。

茶褐色の風合いといい縦長のサイズや重さといい完璧に近いが、決定的だったのはその厚みだった。マナ板の厚みがこちらを直撃した途端イチコロだった。その厚みが決定的な意味を指し示していた。それだけで傑作をものにしてしまった気持ちにすらなった。たった今、進行形の今、選ばれし者として、目の前のヨレヨレの白いコンビニ袋に無造作に放り込まれた古びたマナ板と遭遇している――新宿七丁目ポンペイ遺跡モザイク壁画の一部との唐突なる出会いといった感覚。

部屋に帰りマナ板を眺めた。かなり使い込まれている。板面には無数の包丁傷の鋭い直線が、浮世絵の空摺りによる大江戸集中豪雨のごとく踊っていた。頭の中にあるイメージが定着する一瞬の出来事のために長い時間をかけて見知らぬ他人が朝晩トントントントンとやってくれていたのではないか、少し前までその上に肉や野菜が載っていたのは単なる言い訳だったのではないかと思いは暴走した。まったく異なる無意識の目的が当人同士が介在することなくある日突然交叉してしまうモノと人の出来事。そんな風に起きる何かしらの「答え」がこの世にはきっとあるに違いない。その形《なり》はいつも歴史に培われた美意識の領域外にある。

マナ板の晩、部屋に戻るとすぐその上に真っ赤なギターを抱えたギタリストを一気に描いた。久々にやった！　という興奮が湧いた。そのギタリストのイメージは音楽雑誌のインタヴュー記事の片隅で見たものだったが、そのイメージがどうにも頭の中から去らずそいつをなんとかしなければ、といった状態をこじらせていた。それをやはり三歩マイナス四歩の法則で別の日に持ち帰っていた白い棚板の上に既に描いてはいたが、なにかピタリと来ずそんな妙なくすぶり感がマナ板を巻き込んだ。正解は「棚板」ではなく「マナ板」だったのだ。

思いは十代の頃の段ボールへ飛ぶ。その頃は、油絵を描くために次々とキャンヴァスを購入する金銭的余裕など当然ない。しかし一度知ってしまったキャンヴァス上油彩塗布感覚は他に代わるものもなく、たとえキャンヴァスが手元になくとも油絵を描きたい衝動は抑えることはできない。だが、油絵とキャンヴァスは自分の中で無意味に固く結ばれていた。

そんなある日、段ボールは乾燥速度、色合い等、油絵具と結構相性がいいことを発見した。妥協の結果、新たな描画快感に出会ったのだ。しかもタダだ。衝動は一気に加速した。

金銭的余裕が全くない画学生が必死にアルバイトをして購入した二メートル四方のキャンヴァスに一本の線を三秒で引き、完成したかどうかを見極めようとすることはかなり困難だ。そこには衝動より労働がまず自分を支配してしまう悲しい性がある。だが油絵はキャンヴァス以外の何の上に描いても最終的に油絵だ。たとえ浮世絵上に描いても油彩画であり、また、日本国の地べた上にぶちまけても油彩画と言えるだろう。これは道端の段ボールに教わった大きな発見だった。

高校生の頃よく自室で自画像を描いた。それらの裏を見るとほとんどが洗濯機や扇風機用の段ボール箱を解体したものだ。段ボールならなんでもいいわけではなく、大型電化製品用の段ボール箱の方が厚みがあり、より適していた。家電ショップに頼めばいいという問題ではなかった。それでは自分との偶発的な出会いはなく絵を描く衝動が起きなかった。店が不用だと判断した結果手渡される段ボールではなく、ある日遭遇する、たとえば「サンヨー全自動洗濯機K-1002型」とたまたま刷られている、その段ボールケースでなければ何かが根底から始まらなかった。

問題は自室への運搬であった。真っ当な人間なら真夜中に洗濯機用の段ボール箱を担いで部屋まで帰る道すがら、できることならお巡りさんとすれ違わないことを祈る。結構デカいその空箱運搬の説明が難しい。時間帯も微妙である。運よく絵心あるお巡りさんに出会った時でさえ、「絵と電化製品ケース」の説明という難題が待っている。あらゆる角度からの誠意ある説明も三回ほど繰り返しているうち、少しずつ語尾に乱れを来し、尋問者にはもってこいの流れにジワジワと引き込まれていく。

超低所得絵描き志望の若者が税務署青色申告書類の職業欄に、意を決して「画家」と記入したにもかかわらず、税務署員に「で、御職業は？　先生とか予備校の先生とか……そういったことをお聞きしておるのです、ハイ」と軽く返されシドロモドロの奈落の底に引きずり込まれていく、あの感覚に近い。

でも持ち帰るのです、この洗濯機用段ボールケースをバラし一刻も早くそちらのマニュアルにはない油絵具の色と線をノセたいのですよお巡りさん、そう思っていた。

以前、真冬の北海道、阿寒温泉商店街の水銀灯支柱の上部に取り付けられたスピーカーから突然クラフトワークの曲が流れ出した時の奇妙な感覚が残る。そこには冬の夕陽に照らし出されたクラフトワークのメンバー四人が雪道商店街上空、冷気の中に音と共に浮かんでいるような気がした。その曲に特別な思い入れがあったのではない。しかし「音」はクッキリと内側に沁み入り、その曲に貼り付いていたさまざまな影像が一瞬の内に蘇り、強い制作衝動を引き起こした。

子供の頃に自分の中に入り込んだ音や音楽の裏側に貼り付いた強い、また幽《かす》かな、そして無意識の「記憶」。道端のモノに反応してしまう時、遠い昔、鳴り響いていた「音」に乗り、だれかの「記憶」に導かれるような、そんな気分になり、あの夜の洗濯機ケースと道端のマナ板を思い浮かべる。

二〇〇四年十二月

ミッシェルの行方

手元にタテ七十八センチ、ヨコ四十八センチの刷り物の束がある。一九七七年から七八年にかけて一年間滞在したロンドンの路上で手に入れたものだ。ビリビリに破れたもの、雨の染みが茶色く変色してしまったもの、さまざまだ。

それらは当日の新聞見出しの告知目的で刷られた大型チラシ的なもので、日本でもキオスクの新聞棚にぶら下がる縦長簡易印刷物の大型判といったものだ。

朝夕の新聞配布に間に合わせるという絶対条件の下、急ピッチでレイアウト、印刷を行ない、新聞売り切れと同時に捨てられる宿命からか、粗雑な風合いの紙上、「一発で読める」デザインにはそれぞれ一様に一切の無駄を削ぎ落とした一期一会の現場感の気配がまとわりついている。

今はどうか知らないが、当時見出しチラシは、通常、駅出入り口近くに設置された新聞売り場に立てかけられたボードに貼り出されていた。ボード上のチラシは、格子に組まれた鉛色のバネ状止め具でしっかりと挟まれており、なかなか簡単には取り外せないような構造になっていた。チラシを取り出す時は、ボードが動かぬようにまず足のインサイドキック部分で、場合によっては膝も使い固定し、片方の手で格子状のバネ金具を程よく持ち上げつつ空いている手で少しずつ上にスライドさせながら取り出した。それを人通りの少なくない状況下、一気に遂行という観光マニュアル外の作業である上、他国における日本国民として胸を張れる行動ではないという心理状態は、チラシのダメージに結びつくことが多く、精神的肉体的な裏技がいる手強い作業だった。

初めて経験するロンドン生活では、路上の西洋ゴミ、ドラッグストア前に積んであるお菓子やアイスキャンディの空き箱や包み紙、バスの車掌が両肩から胸元に下げた鉛色のチケットマシーンからギィーカチョンコ！　ペロリッと出る一色刷りチケット等、感涙の刷り物に多々巡り合ったが、この見出しチラシにはいつも特別な思いをもって接していた。自分にとってロンドンのチューブ（地下鉄）といえば駅構内に設置された三分間写真ブースの天井（不要な写真はそこに放り投げるというイギリス人の習性を発見した）の次に常にランクされる場であり、それらの前を通り過ぎる時は、燃えた。

歩行中「SEX　PISTOLS」「PUNK」「QUEEN」「ARRESTED」「RIOT」「FOOT-BALL」「ROCK　STAR」「ART」「DEAD」……といった単語が視界に入る時はもう

立ち去ることは許されない。

何がなんでもそれらをこの両の手に摑み取らねばならない。なんやかんやこちらの都合のいい理由で通過しようものならその後しばらくスクラップブックの神からの冷たい視線に耐える日々が続く。

目の前のそれらの刷り物がこの世に機能する時間はせいぜい二、三時間。役目を終えると速攻で誰にも見向きもされずに持ち去られるか破り捨てられる。英国の印刷物には独自のヒエラルキーがある。新聞がなくなるとチラシはその日の労働を終え、同時に根底からその存在の意味を消失する。頃合をみて売り場を訪れ、訛りのきついヤニ臭いおじさんと問答を繰り返してお願いすれば手に入れられる紙っ切れだったのかもしれないが、チラシ収集自体にこちらの目的はなく、またそんなアプローチはヤワな邪道に思えた。

予期せぬ時、予想外の大物に不意に出会うその瞬間からすべてが始まる出来事であり、あくまでも「物」ではなく「事」が自分に直結していた。週末金曜日の夕刊チラシは、翌土曜日の昼頃でも捨てられずボードに挟み込まれたままのことも多かったが、そんな状況下のチラシには心がまったく動かない。イージーに手に入れられる場所にはカスしか置かないという、これも万国共通、神の掟であった。

大物チラシがこちらをカマしてくるのは、基本的に人通りの多い時間帯、こちらが急いでいる時、新聞売りが大声を張り上げながら至近距離に立つというなかなか気合のいる状況下においてであった。

何かを手に入れたいと強く思う時、思いと反比例する状況が必ず立ち上がる、そんな日常のディテイルに何かしらの法則があるのではないか、逃げも隠れもしないチラシはそんな妄想をいつもこちらに突き付けてきた。

手元に残る一九七七年度クイーン・オブ・チラシは「イブニング・スタンダード」紙の指名手配告知を兼ねたものだ。上部に「ミッシェル／MICHELL」下部に「この男を見つけろ／FIND THIS MAN」という三行のスミ版太ゴチック文字、中央には何かかなりのことをヤラかした男ミッシェルのモンタージュ顔写真がモノクロの荒い網点で刷り込まれている。その素っ気なさが凄みを放つ。

ロンドンのウォーレン・ストリート駅の地下鉄エスカレーターを登りきった狭いフロアーで「ミッシェル」と出会った。「今」ココで進行形の自分と直結する印刷物との邂逅は、さまざまなシチュエーションで多々訪れたが、全国指名手配逃亡中のミッシェルとの遭遇は正に衝撃であった。刷り込まれた彼と視線があった瞬間、理解を超えた気配のようなものが一枚の紙上にあることを強烈に感じた。こちらを睨みつけるミッシェルの眼光には「貴様、オレを連れ去れるのか、ン？　この東洋タワケが！」とばかりに姑息で軟弱な内側の東洋を射抜かれる思いがした。

とにかくミント状態で剝ぎ取るゾ！　いかなるダメージも許されないゾ！　と覚悟した。一刻も早くそれを手にとり、それが一体何なのか、一人部屋でじっくりと眺めてみたい衝動が募った。女王陛下の笑顔が一瞬頭をかすめたが、これは犯罪捜査協力もしくはミッシェル救出だと自分に言い聞かせ、細心の独学マニュアルで「ミッシェル」を抜き取り、駅天井一角に視線を向けたまま速やかに懐に入れた。ミッシェルの顔が自分の顔に刷り替わった気がした。

とてつもない世界を手に入れたような気がした。たった今まで変わることなくあり続けたもどかしい日常のド真ん中に一発大きな風穴が開いたような気持ちになった。ミッシェルを捕らえたゾと歓喜した。

街角で唐突に出会う無数の印刷物や落書き、それは自分にとって一体何なのか？　そう漠然と思うことが時々ある。

ポスターは相変わらずいたる所に無防備に人々の中にその身を晒し、また便所の落書きは当たり前に便所の壁やドアを根城にあり続けている。そんな事実に開き直るとてつもない強度を、最近感じる。「あまりに当たり前である」場所にあまりに当然にあり続けるもの、そこにはたまに逃げ足の非常に速い曲者が今も昔も潜んでいる。

「お前はどうだ？　その後」……灼けたチラシ上の眼光はいまだそうこちらを突き刺す。

あの時、懐に無事入れたと思い込んでいた「ミッシェル」は、今も僕の内側で逃亡を繰り返している。

二〇〇五年二月

三十万の円と縁

展覧会場でただ観るだけのものだと思い込んでいた「絵」に対して、初めて強烈な独占欲を感じたことがあった。三十年以上も前、ロンドンでのことだ。

当時、強い影響を受けていたイギリス人作家によるロンドンでの初個展を観に行く目的で一時期滞在していた。短期間の東京でのアルバイトで稼いだ所持金しか手元になく、できるだけ生活費を切り詰め一日でも長くロンドンにへばりつくといった日々だった。

初めて足を踏み入れた裏通りの小さな画廊では、当然食い入るように作品を見ることに徹していたが、二、三日通ううち、どうしてもその中の一点を手に入れたい、ふとそんな思いが突然突き上げた。

目の前の壁に掛かるこの絵は、今から先の時間の中、自分にとって最も重要な何かになるに違いないといった気持ちで心があふれた。自分は一体何を考えているのだ、それどころじゃないだろうと現実を何度も振り返るのだが、いったん欲しいと思ってしまったその思いは一気に暴走し、しばらく悶々とした日々が続いた。

当時三十万円くらいの絵だったと思うが、自分にとってはまったくありえない金額であり、その絵を所有するという思いはきっぱりと諦めた。

結局その頃出会っていた金銭的に余裕のある知人を説得して会場に連れて行き、その絵を買わせることにした。自分の所有作品にはならないものの、同じ日本人の知り合いの手に渡ったこと、またその知人が以後その作家の作品をコレクションするきっかけになったことが救いだった。

その出来事は今考える以上に大きなきっかけだった、それ以来、作品鑑賞中に突然目の前の壁に掛かる絵が欲しくてたまらなくなる、そんなことが時々起きる。作家の知名度や作品自体の社会的な価値といったこととはまったく無関係に唐突に起きる。出会った絵と自分の作品の方向性に共通するものを感じる場合もあるが、逆に戸惑うほどにかけ離れていることも多く、明確な理由はいつも見いだせない。

どちらにせよ、目の前の絵を独占し見入りディテイルに入り込み感触を手に入れることができれば、自分の内にその先の世界を垣間みることができるかもしれない、そんな根拠のない思いがいつも先行する。

壁に掛かる絵に対して単に思いを巡らしているだけで済むうちは、その絵は自分にとって客観的な外界の「物質」でしかない。出会った瞬間、その絵に対して圧倒的な独占欲が心に渦巻く時、それは単なる物質を超えた絵が既に内界に掛かっていることを意味する。

そういったことは、必ずしも展覧会場に展示される作品だけに起きるわけでない。路上歩行中に出会う古い壁や家屋の一部、または新旧問わず看板や雑多なモノ同士の偶然の組み合わせによる光景と自分との間にも起きる。

展覧会場で絵を購入し独占することは可能だが、風景を買い取り所有することは不可能だ。絵は、他人の定めた場所で限られた時間内に見るだけでは手に入れられないものもある。目の前の絵を強烈に欲するかどうか、それはかなり重要なことに違いない。

数年前、絵具を買いに寄った画材屋で、たまたま壁に掛かっていた小さな油彩画二点に釘付けになったことがある。通りがかった額売場のフロア一角に、幅五メートルばかりのディスプレー・ウィンドウが設置され、その中に複数の日曜画家による油彩画が十点ばかりさまざまなタイプの額にはめ込まれて展示されていたのだ。

その中の二点が視界をよこぎった途端、立ち止まり、たった今見たものは一体何だといった思いが湧いた。一点は沖の小島と入道雲、海岸の松、全体的に厚塗りで一気に描かれ、もう一点は真夏の人々で混み合う海水浴風景、浜辺には木の見張りやぐら、遠景に小高い山といったごく平凡な薄塗りの風景画で、そのどちらも夏の海景を描いたものだった。

マチエールは所々ヒビが入り、うっすらと埃をかぶっている部分もあり、かなり長い間見向きもされずその画材屋に売れ残っている様子が窺えた。

ガラス越しにそれらを繰り返し眺め、一瞬で心が根こそぎ持っていかれた理由をしばらく考えてみたが、納得する決定的な理由は見当たらない。

あえてそれら二点に共通項を探してみれば、どちらの絵も子供の頃毎夏通った房総の海岸を思い起こさせる雰囲気があり、それらに遠い日々の記憶を一気に呼び起こされた結果だと言えなくもない。都会を歩いていればそういった遭遇自体はよくあることで、視界をよぎった瞬間のこちらの心情や記憶など、さまざまな要素がそこに交叉した結果なのか、心をもぎ取られたような生々しい感覚はヒリヒリとあるものの、結局明確な理由は最後まで見つからなかった。

通りを歩いていて時々興味を引かれる景色や路上の看板などに出会う時、目撃した光景や絵柄をできるだけ集中して記憶し、家に戻ってからそれらを思い起こして描くことがある。そんなふうに記憶を頼りに後で描き起こしてみると、必ず何かしらの勘違いが生じるもので、それらの絵はかえって興味深い結果になる。

画材屋での出来事は、より根源的な部分をいきなり素手でつかまれた感じが残り、記憶を元に描き起こす気持ちはまったく浮かばなかった。しばらく二点の絵を眺めるうち、「自分にはこの絵は絶対に描けない……」。そんな思いがジワジワ浮かんできた。それらを元に自分で描き起こすどんな結果よりも、目の前の絵そのままの方が断然興味深く、またそこには絶対に超えられないものがある、それは決定的なことだと思った。

それらをしばらく身の回りに置きじっくりと眺めてみたくなり、結局それら二点の絵を購入することにした。

「絵を買うぞ」と決心した途端、不思議とその絵に対する見方が根底から変化する。単なる「物質」としての関わりを超えた、より本質的な購入を決めた途端、逆に単なる「物質としての絵」をできるだけ見てみようといった視点が生まれる。そんな時「絵を買う」ことへの興味や重要性を改めて考えさせられる。

先日、三十年余り前どうしても欲しかった絵を買わせた知人から突然連絡が入った。以前ロンドンで購入したその絵を買わないかといった用件だった。絵にもやはり人と同じ縁やタイミングがあるのだと思った。現在、仕事場の机脇に掛かるその絵と初めて納得のいくバランスがとれた、そんな安堵感がある。

二〇〇八年四月

デジタルと虫メガネ

八〇年代初頭ロンドン、ある日展覧会場にいた。その数年前に偶然知り合い、つきあいのできた友人の初めての個展会場だった。

その情報は一年ほど前に知り、東京で資金作りをし、友人の個展を見る目的だけのため三度目のロンドンに来ていた。当時ロンドンには気心知れた知り合いも少なく、一日のプランといえば毎日その会場におもむきブラブラと過ごすことだけだった。いつか自分も個展というやつを外国の地でやってみたいと思ってはいたが、それは夢のまた夢であることも十分承知していた。作家から絵に興味があると聞いているだけの東洋人が頻繁に会場に足を運ぶ光景は、画廊側からしてみれば暗黙の売り込みと取られても致し方なく、居心地はあまり良くなかったが、そんな経験も絵を描いていくことの一部だと思っていた。

閉廊近くのその日の夕刻、突然激しい雨が降り始めた。まだココにいていい理由が降ってきたようで少し気が楽になった。

見知らぬ老人が一人、ユタユタと無愛想に入って来て僕の隣に立ちそこから会場を眺めた。居合わせた誰の知り合いでもなさそうで、画廊が歓迎するタイプとは真逆の空気を醸し出していた。雨宿り目的であろう予期せぬ同類の登場に、自分の中の「芸術」の二文字が自動的に点滅した。

歳の頃六十代半ば、無造作に折り畳んだ新聞を突っ込んだ黒いショルダーバッグを肩にかけた赤ら顔のジイさんだった。着古した厚手のモスグリーン色ジャケットには毛玉がこびりつき、テロテロのズボンの膝は白く突き出ていた。特別変わっているということでもないのだが、何気なく独特の空気をまとってしまっている人物が稀にいるが、そのジイさんもそんな風に意味不明にネジれていた。強烈に「ロンドン」を感じた。

ジイさんは入口近くの壁に掛かる作品から順番に見始めた。この人絵を見る時間が異常に長いなと思った。雨宿りではない様子がうかがえた。

入口から三、四点目くらいの位置に移動する時、ズボンのポケットからおもむろに古めかしく重そうな虫メガネを取り出した。絵の前に立つとその虫メガネを画面から五センチくらいの距離に持ち、目を細めて顔を近づけた。老眼対策といったヤワなテンションではなかった。

絵の一部に貼り付けられた紙の繊維の一本一本を数えているような、はみ出た接着剤の一ミリを探し出すことに命を張っているような、また筆先が撫でた絵具の微妙なデコボコの間隔を計っているような、そんな狂気の見え隠れする緊張感が漂った。

たった今、この老人は誰も気づかない魔法の虫メガネを使い、現世を一切遮断しミクロの別世界を歩き回っているのではないか、そんな錯覚を覚えた。そうか、こんな絵の鑑賞法もあったのかと奇妙な新鮮さを覚えた。雑踏の中、和服姿で路上に正座し一人茶を点てる西洋人に不意に出会ってしまったような、一瞬凍りつくそんな異次元の佇まいに笑いが込み上げた。

その光景を目撃してから「虫メガネ」に対する認識がまったく変わった。虫メガネがモノを拡大して見るための道具というよりは、自分とモノとの距離を自由自在に操作できる変換装置でもある認識が芽生えた。

その年二、三カ月滞在したロンドンでは、虫メガネ越しに絵を見るといった行為を別の場所で何回か目撃した。虫メガネの当たり年だったのか。おそらくそれ以来意識する機会が増えたのだろう。

いまだに「展覧会＋ジイさん＋虫メガネ＝ロンドン」という公式は自分の中から消えていない。ダントツのキングはもちろんモスグリーン・ジャケットの老人である。

数年前、コンピュータで絵を描くという機会を与えられた。不慣れな作業でしばらく試行錯誤が続いた。それまで自分の中にあった「絵を描く」というアナログ感覚とマウスとディスプレーによるデジタル作業感覚はなかなか一致しなかった。まず特定の絵のサイズを設定し全体を把握しつつ進めるプロセスではどうにも先に進めなくなり、作業は行き詰まった。

絵のディテイルに入っていってみようとふと思った。画像が荒れて判断出来なくなるまで「拡大」を繰り返し自分の絵を眺めていった。自分自身が把握していると信じ切っていた絵の中に入っていくと見たことのない世界が次々と現われた。小型宇宙船でどこか惑星上空を飛行しているようなトリップ感があった。絵を描くことはそれを把握していることとはまったく別の出来事であると初めて思った。

「時々絵から離れて見なさい」。美大では常識的によく言われた。ディテイルにとらわれ全体を見失うことはマイナスの効果を生むといったことはかなり早い時期から絵を描く基本として教え込まれた。デジタル宇宙船からの異常接近による絵の見え方は正に目からウロコの瞬間であった。「どんどん絵に近づきなさい」過去の教えは自分の中で逆転していた。絵における「部分と全体」の関係が根底から崩れていた。「もっともっと絵の中に入って行ってしまえ」。そう思った時、モスグリーン・ジャケットの老人が心に立ち現われた。あのドシャ降りの夕方、虫メガネで絵を覗き続ける姿がくっきりと立ち現われた。

そうか、あのジイさんはデジタルだったのか、意味もなくそう思っていた。あの老人との遭遇こそ自分の中にあった「デジタルと絵」に対する暗示的出来事ではなかったのか、二十年近くが経ち、初めてそう思えた。その瞬間「デジタル」と「自分の絵」をつなぐキーワードは「距離」であったことを初めて認識した。

デジタルによる絵の制作経験後、モノを見て感じるのは、それまで暗黙の定位置にあった視点が目まぐるしく常に移動するイメージだ。

「内側と外側」についても漠然とした常識は消え去った。絵を見、同時に絵の表面のデコボコとこちらの視点のあいだを行ったり来たりしつつ視えるものを認識しようとする意志。何を見るにつけそんな視点が内側に宿った。

デジタルデータ画像の表面が真っ平らになったことで、これまでの「平面」認識が根底から変化した。その出来事は「平面」と「立体」という曖昧な自覚から「絵」を捉えていた立ち位置を見直すきっかけになった。逆から覗く望遠鏡で改めて絵を見直すような、そんな気分が頭をもたげる。「絵の裏側」をそれまでとは異なる角度から意識し始めたこともデジタル操作による作画と関わっているのだろう。

デジタルは、自分の描いた絵のディテイルにどんどん入り込み眺めることで、当人の意識と無意識の狭間世界をこちらに突き付けた。共通するのはどこまでいっても「平ら」ということだ。平らである絵を眺め続けるとそれまで「平面」と認識していた絵の表面の微妙なマチエールも新鮮な立体感をもって見え始める。そこに予想以上の心地よさを感じた。

微妙な出っぱりと一体になって絡み合う色が皮膚に触れてくる快感はどこから湧いてくるのか。そう思うたび、あの日の赤ら顔のジイさんが虫メガネを手に心の中にやって来る。

二〇〇六年四月

スケッチブックの無意識

「スケッチブックにも無意識があるのではないか？」。そんな意味不明のフレーズが漠然と頭の中に浮かんだ。

台風一過の造船所で出会った、水槽の中の、やけに尾の長い子亀を眺めている時、なぜか「スケッチブック」というモノがボーッと浮かんだ。

スケッチブックやノートブックというものがある。さまざまな間隔の罫があらかじめ印刷されたもの、白い紙を束ねたもの、革表紙の値の張るスカしたやつ、使用目的も体裁同様、さまざまだ。

一般的には「ノートブック」というと文字、「スケッチブック」は絵といったつながりが強い。形式がどうであれ、また記された内容が文字であれ絵や図形、音符であれ、何らかの内容に沿う紙の束に独特な佇まいを覚える瞬間がある。それはシステムノートや一般的な日記帳を目にした時とはまったく異なる感覚だ。

関心を持つ芸術家のスケッチブックやノートブックはたいてい興味深い、本番の作品よりそれらの内容のほうがより刺激的なものが多い、いつの頃からかそう思うようになったのは、「スケッチブックの無意識」が何か関連しているのかもしれない、そんなことをなぜか水槽の子亀に思った。

自然や人物を描く画家が、キャンヴァスに取りかかる前にスケッチブックを使って試行錯誤を繰り返す光景が浮かぶが、個人的にそのようにスケッチブックを使うことは少ない。

風景写生をすることはあるが、その場合も目の前の風景に単に「スケッチブックの無意識」を感じるからで、制作過程としてスケッチすることはない。

答えらしきものが至近距離にブラ下がっている気配の周りをあてでもないこうでもないと文字や図形で行ったり来たりしているような、そんな渾沌としたノートやスケッチに個人的には一番刺激を覚える。

人は他人の書物の扱いには多大な労力を払うが、自分が何でも記すことのできる廉価なノートブックやスケッチブックには意外と無頓着だ。人が真っ白い紙の束に何をどのように記すのか、そこには何かがある。

二十年近く経つがいまだに印象に残り続けているスケッチブックがある。

一九七七年に初めて訪れたロンドンで知り合ったアーティストの友人は、当時自称ノン・ミュージシャン、ブライアン・イーノの音楽をモチーフに絵を作り出していた。

それらのシリーズ作品を美術学校の卒業展に展示した事がイーノ本人との出会いにつながり、紆余曲折を経た九年後、二人のコラボレーションによる『モア・ダーク・ザン・シャーク』というタイトルの本の出版に至った。

この本は、イーノがアンビエント・ミュージックを確立する直前、七四年から七七年に発表された初期ソロアルバム四枚の楽曲や歌詞からインスパイアされた具象画と、イーノ自身による楽曲の背景解説やエピソード、音楽理論、芸術理論など独特のアプローチでメモやダイヤグラムと共に興味深く編集されている。読み、また眺め進むうちに二人の思考回路の迷路の中を彷徨い歩いているような、そんな気分に導かれるような世界が現われる。

当時僕はイギリスへ行く度にその友人宅に泊めてもらうことが多く、その本が完成に至る九年間、幸いにも断片的に作業現場に立ち会うことができた。

企画がスタートした時点で既に大半の絵はできあがっており、テキストとの編集作業段階に入ると、イーノが長年さまざまな事柄について書き溜めていた、黒いカヴァーの小さなスケッチブックがごっそりと友人の元に保管されていた。ごくプライベートなスケッチブックを覗き見する事はなかったが、編集作業机の上に置かれたいくつかの見開き、その脇に積まれたノートの山を目の前にすると、地球上の未知なる場に立ち会っているかのような、微妙な電気を放つ心地よい光に触れているような、独特の空気に鼓動が高まった。

それまで自分が思い描いていた「スケッチブック」のイメージは、それらのミステリアスな紙の束との出会いから一瞬で変化した。コリャア非常に甘かったと思った。漠然と絵を描くものとばかり思い込んでいた「スケッチブック」に記すべき事は、作品に関する単なる表層的な形や素材やサイズ、そんなことではまったくなかったのだと感じた。

地層や空気や物質や精神、電気や形や哺乳類、宇宙や気象、鉱物も光も何もかも——有象無象森羅万象そのすべてが絵や音楽に同等につながっていた、そんなわけのわからぬ思いがドッと押し寄せ、強い焦りを覚えた。

これまで、過ぎ去った時間の中で自分は何を見、どう感じ、何を考えてきたのか、そんな思いが頭の中をめまぐるしく飛び交い、人の「仕事」とはソコなんではないかと表現以前の圧がグイとかかった。

人が生まれ落ち、死に至るまでの時間の中「仕事」とは一体何なのか？　思いとともに、一九七七年、九十七歳で亡くなった画家、熊谷守一の話が浮かんだ。この画家が自宅庭の地面に頰杖をつきながら蟻の歩き方を何年も観察し、蟻は左側二番目の足から歩き出すことを突き止めたという、当時とても気に入っていた逸話である。それはとてつもなく重要な、真っ当な「大仕事」であったのだと納得がいった。

ジャンルを取り払い、作風などとはまったく別に、「スケッチブックの無意識」がうっすらと見え隠れするような、揺らいでいるような、そんな音や音楽が以前から好きだ。それは自分が目にする作品についても同じようなことが言える。

その「スケッチブックの無意識」とは、ものすごく薄い透明の膜のイメージの「思考の気配」といったもので、表現物と自分とのあいだのフィルターとしてあり続けている。

まっさらな「スケッチブック」自体が理想の完成形の絵そのものに思えるときがある。そして、そこに本来そうあるべき「心」の状態が重なる。

二〇〇五年十月

トランスうどん玉エクスプレス

ラッシュアワーの新宿駅、発車間際のＪＲ車両に飛び乗った。

足元が妙にスカスカに空いている……一気に取り囲む強烈なる悪臭。アレか？アレかソレかのどっちかだ。ジワッと押しよせる危機感……これはおそらくふたつにひとつ。朝帰り男の置き土産、既にそこにある嘔吐物。もしくは、長年風呂に縁のないハードコアな人物の身体一つの引っ越し、乗車運賃つぎ込んだＶＩＰ移動中の車両にビンゴ！　の瞬間だ。

原因不明のまま発車オーライ！　直後、無情にもドアは閉まり、脱出不可能な一駅分の密室空間は、確かに快適からはほど遠い。

強烈な臭気だけで姿の見えぬ獣と檻の中にいるような、この浮き足立つ感じは過去に何度か身に覚えがある。

体育授業中の校庭、笑顔の酔っぱらいがバット振り回しながらこちらに向かって突進して来た梅雨のある日のこと。日に焼けた田舎道の路地裏でゴムゾーリの右足首に巻き付いたアオダイショウの冷たさと熱い足裏の感覚……予期せぬ車内の臭気と気配は、遠い記憶の彼方から、一瞬内臓をギュッと内側に握られるような妄想映像をたぐり寄せ、脳内スクリーンにカタカタと映し出す。

車内を見渡すと、原因は一人の原人のような裸足の男、新大久保ウェイラーズ風味ドレッドヘアを変則リズムに揺らせ、首筋をポリポリ掻きながら床の一点を見つめていた。

ズタボロのドレッド原人は、たった一人で携帯電話を手にした乗客全員に見事打ち勝っているではないか。本質的に不快なのは実はこっちじゃないのか？

いつの頃からか、乗客の大半は電車に乗り込むとまず携帯を取り出し、見入るようになった。とりあえず自分だけのテリトリーを確保する本能的儀式なのか、現在、世界中の都市を走る公共乗り物内では当たり前の光景だ。

折りたたみ式携帯をサッと取り出しカパッと開け、無表情に凝視体勢に入る一連の動作は、その昔の化粧直しに素早くコンパクトを覗く女性特有の動作に似ていなくもないが、いつのまにかコンパクトの色香は携帯の電波に呆気なく吹き飛ばされた。

以前電車を乗り継いで美大に通っていた頃、暇で退屈な電車内の時間をどうやってつぶすのかを考えるのが好きだった。

暇、自由、無干渉。携帯電話のなかった時代、公共の乗り物での移動時間は、創造の要素と予想以上に強くつながっていた気がする。何もすることがない移動目的のみの車内では、無意味な事柄を自問自答する贅沢な暇つぶしができた。

当時の乗客は車内で一体何を考え、どんなことをしていたのだろう。

寝ているのかそうでないのか目を閉じたままの人、文庫本や新聞を取り出す人、ボーッと飽きることなく車窓に視線を投げかける人、本を忘れた活字中毒者なのか週刊誌中吊り広告の文字を何度も目で追う人、それぞれの行動は違っても車内に流れる時間には共通する一体感のようなものがあった。

そんな七〇年代末期、ヘッドフォン・ステレオ、ウォークマンのニュースを知った時のワクワク感をよく覚えている。好きな音楽を通して見慣れた世界を眺めたら、どんな世界が頭の中に立ち上がるのか。今では信じられないが、そんな単純なことに異常に興奮した。暇な乗り物移動には完璧な発明だと狂喜した。

レコード盤による音楽鑑賞では、聴く環境に身を置くことが常識だった当時、両耳にスピーカー（ヘッドフォン）を突っ込み、肉体自体をオーディオ空間として場所移動するというアイディアには、世界が反転したような驚きと可能性を感じた。鼓膜という肉体オーディオ装置とヘッドフォンを至近距離に置くという発想に、なぜか茶室の作法が浮かんだ。指先による操作で外界を遮断し、徹底的に個の世界へ突入する携帯的快感は、当時妙な形のイヤフォンを両耳に押し込みプレイボタンをガシャガシャいじっていた時に始まっていたのだろう。

当時、ウォークマンで毎日徹底的にクラフトワークの楽曲を聴いていた時期がある。美大へ向かうある朝、発車間際の満員電車に駆け込み乗車をした。繰り返し「アウトバーン」と「トランス・ヨーロッパ・エクスプレス」を聞いていた頃だ。

曲の合間に男の怒鳴る声が聞こえ、ヴォリュームを下げた。

お前らは毎日満員電車に揺られて一生会社勤めを繰り返すだけ、人生何が重要か、このオレを見て今のうちによく考え直せ！　そんな主旨の人生話が、オヤジの近況や趣味、家族や故郷のこと、子供時代のことなどを交えて途切れることなく続く。

その現場系の地下足袋オヤジは何やら準備をしているのか、身体を動かしつつ叫んでいるのが乗客の間に見え隠れする。オヤジを挟み二人分あまりの座席が空いているが、前に立つ乗客はまったく身動きがとれない。

電車は急行、終点まで約十分の密室移動空間早朝トーク・ライヴは白熱する一方だ。

そのオヤジは割り箸を手に何かを食おうとしていた。この辺りから食いながらしゃべるよといった流れになっていった。

まず土木作業員ジャンパー《ドカジャン》のポケットから新聞紙の包みをガサガサ取り出し、座席脇に広げ始めた。しわくちゃの新聞紙中央に茹でたうどん玉がひと玉と割り箸が現われた。

次にズボンのポケットから桃屋系の麺つゆ瓶を取り出しフタを開けた。うどん玉は賞味期限切れなのか、丸ごと箸の先にベットリとブラ下がって離れない。箸を必死に上下に振るが、なかなか適量がうまい具合に麺つゆに浸かってくれない。

イラついたのか箸を激しく振るうち、瓶と一緒に握っていた麺つゆ瓶のフタが乾いた音とともに乗客の足元を転がっていった。

ここでいったん話は中断、誰か麺つゆ瓶のフタを拾え！　とガナるが、気まずい緊張感は広がるばかり、結局オヤジは新聞紙のうどん玉を座席に置いたまま麺つゆがこぼれぬよう掌で瓶を塞いで持ち、身を屈めて強引に席を離れた。乗客の足元に戦慄が走るが、オヤジはフタを探し当てると何事もなかったかのように席に戻り、再び説教トークが終着駅まで続いた。

クラフトワークを聴くと、今でもあの朝が浮かぶ。

鮮明に情景が浮かぶのはあの時の音が関係しているのではないか、そんなことも思う。ウォークマンは画期的なオーディオ機器だっただけなのではなく、その後訪れる携帯社会での「時間」や「記憶」のありかたと深くつながる「時間シャッフル装置」だったのかもしれない。

七〇年代末期のうどん玉オヤジとクラフトワークは、時空を超えた「記憶急行電車」からこれからも途中下車することはない。

二〇〇八年五月

海ぶどうと8ミリの記憶

沖縄料理屋で海ぶどうを注文した。柔らかい茎の周りにびっしりと小さなレンズ状の球体がまとわりついた沖縄名物のあのウグイス色の海藻だ。

初めてそれを目にしたとき、藻に産みつけられた何かの卵だと思い一瞬ひるんだ。海藻だと聞き、海の底にも「偏見」の二文字はあると思った。

極薄の膜に包まれた卵状の球体を口の中でプチプチとつぶすと、淡い塩味が口中に散りスッと海の映像が通り過ぎるような、またこちらの感覚を遠回しに刺激されるような、そんな印象の奇妙な食い物である。

人を待ちつつ至近距離で海ぶどうを眺めた。球体の中の張り詰めた液体に目を凝らすと、何者かが逆にこちらを窺い見ているような、そんな錯覚を覚え、透明な粒の連なりに、なぜか映像フィルムの一コマ一コマの集積が浮んだ。

ふと、今、指先にブラ下がる物体は、何か「記憶」に関する食べ物なのかもしれないと思った。

目の前に連なる無数の粒の中に閉じ込められた森羅万象の記憶は、夜毎の宴の口の中でプチプチと乱反射を繰り返している……そんなバカげた絵が浮かんだ。

口中に広がる塩味の液体の感触は、物を食すといった感覚から離れ、塩分でヌメる舌の上に、さまざまな映像を落とした。泡盛を飲むといつもこうだ。支離滅裂な過去の出来事が唐突に浮かび出し、時間軸を無視して無節操に連なっていく。予期せぬ単語がポツポツ真上から降り始め、頭の中に流れ落ちる絵に絡みついていく。

海ぶどうからスタートした泡盛経由の視覚と味覚の妄想は、古びた紙袋に行き着いた。数年前、仕事場の掃除中に出てきたレトロチープな絵柄の紙袋だ。

詰め込まれていたのは大量の現像済み8ミリ・サイレントフィルムだった。数えると百十四本あった。

フィルムの納められた直径八センチ、厚さ一センチほどの円形の赤、青、黄三種類のプラスチック・ケース十数本には「85瀬戸内海／島」「86京都」「87展覧会」「87北海道／オホーツク」「88新宿」「ロンドン」などと、年代と場所が走り書きされた小さな紙ラベルが貼られていたが、残りの大半には何の記載もなく、映写機にかけた形跡もなかった。八〇年代中頃から九〇年にかけて、まだビデオ撮影機を手にしていなかった頃、学生の頃購入した中古8ミリ撮影機で日常を撮影していた記憶が蘇った。

ケースの種類や個別に入った袋を手がかりに、とりあえず年代順に分類した。一本ずつ床に並べると、目の前には色とりどりのミニマル光景が現われた。

六〇年代後半、小学校高学年から中学卒業の頃、大人の世界はサイケ、ヒッピー時代の真っ只中、音楽同様映像の世界も「前衛」の名でキテレツ・ワールド全開の時代らしきことは兄の部屋に積んであった映画雑誌からうっすらと伝わってきた。

「ビートルズがやって来る　ヤァ！　ヤァ！　ヤァ！」「ＨＥＬＰ！　四人はアイドル」といった映画は、世のエレキ体質の青年婦女子に多大なる音への影響を与えたが、同時に潜在的映像体質の子供たちの中にくすぶり続けていた動画への火種にも強風を送り込んだ。そんな時節の中、当時多くの若者同様に早速8ミリ映写機を持っていた友達を焚きつけ、中学時代に一本、高校時代に一本それぞれ二十分くらいの映像制作をした記憶も蘇った。

定期的に上がる現像済みフィルムを紙袋に放り込むことは、八〇年代中頃、展覧会も決まらず暇を持て余していた日常の中で、自分なりにバランスを保つための大きな役割を果たしていた。

あの頃自分は何を見ていたのか？　そんな単純な思いが募り、業者にデジタル映像に変換してもらい、すべての映像を集中的に恐る恐る見ることにした。

池の鯉、風に揺れる竹林、霧に包まれた岸壁、港の倉庫、友達の顔、真夏の海面、真冬の川面、家族、両親、空と雲、アトリエの様子、展覧会風景、車窓、東京タワー、雪景色、神社、墓、アンカレッジ空港、ロンドンの街角など、淡々とした光景があまりに素っ気なく無音のまま動いていた。

ほぼ記憶から飛んでしまっていたそんな過去の動画は、感激や感傷とはかけ離れたものであったが、自分の中の納まるべき場所に次々淡々と入り込んできた。

映像の解像度や画面の汚れは昨今のデジタル映像とは比べものにならないほどひどい代物だったが、世界を裏側から覗いたような独特の匂い、色気に似たものが貼り付いていた。視覚で嗅ぎ、また聴覚で内側の映像を観ているかの心地よさが込み上げてきた。

自分が無性に木炭画を描きたくなる「写真」が頭をかすめた。家族写真、状況記録を第一に撮影された報道写真、撮り手の意志を極力排除したカタログの商品見本写真などが自分にとっての「衝動写真」につながることが多いが、それらに共通するのは芸術的意図が皆無であること、内容が説明的であること、また色やピント等解像度が極端に悪い点だ。

被写体がなんであれそんな写真には、「意味」とはかけ離れた場所にあり続ける「記憶のあり方」を感じ、それが無性に自分を絵に駆り立てる。

8ミリ映像を観ながら、目の前の動きを構成する一コマ一コマすべてから絵を作り出せるのではないかと思った。自分にとって技術的な解像度と絵につながる衝動とはどうも反比例関係にあるのではないか、そんなことも考えた。

写真や映像が過去の記録とするならば、それらを目にした人の記憶との関係の中に自分自身の「解像度」が深く関わっている気がする。

目の前の海ぶどう一粒一粒を潰れぬよう一列につないで映写機にかけることが可能なら、そこにはおそらくピンぼけの未知なる解像度を伴った映像が、ユラユラと海中に浮かび出るのではないか、そんな泡盛と海ぶどうの晩だった。

二〇〇五年九月

黒と白の時間

この二週間、木版画を彫りそして刷る毎日だ。二十年以上も前に自分で刷った木版画を束ねた一冊の手製本を偶然見つけ、パラパラ眺めていたら何かスウィッチのようなものが突然ONになり、再び木版画を作りたくなった。その手製本を束ねて以来木版画を彫ったことは一度もない。こういうこともあるんだと思った。

この二十年、さまざまな場所に仕事場を移した。そのたびに不要なものを捨てつつ引っ越しを繰り返してきたが、その都度彫らずじまいのままの版木も和紙と一緒に縄で括られたまま移動を繰り返し、それぞれの仕事場の片隅に立て掛けてあった。いったん自分の中のどこかがOFF状態になると物を一センチ右から左に移すだけでもおっくうになる質で、一ミリも彫り込まれていないそれらの版木がふいに視角に入るたび、仄かな情けなさが心をよぎった。木版画について誰かと約束を交わしたわけではないが、曖昧に投げ出した時間に背を突かれているようで気持ちが重くなった。

年末になると「今年も早かった」といった類いのフレーズを耳にする。そんなたわいのない会話のやり取りを聞くと、時の流れは実は年ごとに大きく異なっているのではないかと思う時がある。

「時間」を感じることは、自分にとって体感や嗅覚に近い。どんな状況においてもやるべき事を淡々と涼しい顔をして的確にこなす達人と出会う時、時間の流れを無意識に察知し絶妙なバランスを保ちながら泳ぐイメージが浮かぶ。

乱暴な言い方をするなら、人それぞれが、規律の異なる時計そのものであるようにも思え、八十億の人間時計とあらゆるレヴェルの生物時計が日々ひしめき合うのがこの地球なのだとも思える。そんな地球も宇宙の中では……と続けているときりがなくとりあえず目の前の木版画だ。

当時どんなきっかけで木版画に興味を持ち、その本を作ったのかまったく記憶にない。誰かの展覧会を見て感激し、試しに彫ってみたといったことではなかったことはわかる。おそらくたまたまめくっていた雑誌の一角に強い興奮を覚えそれが木版画と直結した、といったことだったに違いない。いまだにそのようなことがあり、美術とは無関係の、例えば靴工場の部品カタログの機械の説明図とか犯罪本の片隅に小さく印刷された犯行メモ、または商店街のある店主が慣れた手付きで領収書の余白に印す〆《しめ》印の類がきっかけとなることが多い。四色刷りで大きく掲載されていたり、アート本の中にある芸術作品等ではなく、その大半は一色刷り、五センチ角くらいの取るに足りない写真であったりする。

ジャンルや傾向も統一性はなく、唯一それらに共通するのは、「アートの対極」と言えそうだ。

昔から自分にとって重要なものは、常識的に重要とされる場所にではなく、どうでもいい場所に雑然とあることが多い。そんな場所はいつも自分との微妙な間合いを探るかのように唐突に現れる。自分限定ではあるが、ゲーム中、「勝ち」を察すると同時に「勝ち」への感情が頭をよぎった時「負け」に踏み込む、あの感覚に似ている。他人にとってどうでもいい自分だけの答えを感知する瞬間と、そこに偶発的に起きる出来事に立ち上がる何か……。そんなときふと思うのは、なぜか「時間」と「記憶」が絡み合う奇妙な世界、そして「運」「不運」といった事柄だ。

これまで木版画を習ったことはない。小学校三年の図工の時間、彫る時は片方の手を彫刻刀の前に置くなといったことをしつこく言われた。四十年前も今も小学校の先生に教えられたその基本的な事柄を思い出し、小学生が図工教材で使用するベニヤの版木にそのレヴェルの彫刻刀を使って彫っている。

版画はこれまでエッチングとリトグラフ、シルクスクリーンを試した。それらには腐食させるための薬品や専用画材の数々、または版の焼きつけ作業や刷り機など、一枚の絵に至るまで様々な備品が必要だが、その点木版画はシンプルだ。より高度なテクニックを求めるならさまざまな材料や道具も必要になるが、木版画は出来上がるまでの工程がわかりやすい。このあまりのわかりやすさが実は自分にとって曲者でありまた魅力だ。目の前の板を刃物で彫りその凸凹にインクをのせ刷る工程は、おそらく自分にとって「時間」を体感させてくれる「時計」の役割を果たしているのだろう。

目の前の木版画を眺めているといつも「版」と刷られた「画」の関係を思う。芸術の世界ではオリジナルと称して一点ものを崇拝するのが常なのに、版画に関しては一点ものの「版」ではなくそこから刷られた反転画像を作品とする。そこに疑問を感じる人はまずいない。根底から自由であるはずの芸術の世界でそんな不自由な逆転関係は無条件にアリだ。

読むことを目的とした文字本で版を逆に彫りそして刷る関係には納得がいくが、絵を制作するためにあえて鏡を使ってまで反転した絵を版に刻む価値観は自分にはない。そのためか、普通に絵を描くように制作した版からの反転複製物を崇める感覚が余計に奇妙な出来事にも思える。

しかしそんなことをつらつら考えているとコンピュータ使用による絵の制作が常識になった今、かたくなに反転を繰り返す一枚の版木という存在はかなりふてぶてしくまた逞しくも思えてくる。

木の板にローラーでインクを塗り紙をのせ裏から指先で微妙な圧をかけ、そしてゆつくり紙をめくりながら「正」と「反」の黒白関係に目をやる。

その瞬間は、闇色の時間から超薄の透明膜を剥がし終えたような気分になる。

二〇〇四年十一月

絵とアメリカ

北アメリカ六都市を四週間かけて回り、その後、山の中のスタジオで六週間作品制作する、そんな夢のような機会があった。一九八九年初頭のことだ。アメリカ政府の文化交流機関のプログラムとアーティスト・レジデンス・プログラム二つを組み合わせた形での滞在であった。

昭和最後の大晦日、荷物をまとめ翌日元日の朝、本部のあるワシントンに向け出発した。出発までに回りたい都市を考えておくように言われてはいたのだが、何も頭に浮かばないまま飛行機に乗っていた。

雪景色の首都ワシントン到着の翌日、本部の事務所を訪ねるとテロテロのアロハシャツに身を包んだアレン・ギンズバーグ似のおじさんが待っていた。一カ月間に行きたい都市とそこで訪れたい場所を挙げよと言う。もう少し具体的な旅行計画があることを期待されていたのか、少々あきれた風でもあった。

とにかく事務所にいる間に行き先は決めないとならない。目の前の人は忙しい。

行き先に制限はなく、どこへでも何カ所でもかまわないと言う。欲張りすぎないことだと忠告してくれた。しばらくその部屋の壁に貼ってあるアメリカ合衆国の地図を眺めながら考えた。慌ただしい一人旅も気がひける。逆に一、二カ所長めにと前もって決めると飽きるのが世の常だ。美術の旅もなんかなあ、と考えているうちに南部の都市を回ってみようと思った。ふと音楽の聖地「NEW ORLEANS」が目に留まった。ここにはかつてフランスの画家ドガも住んでいたことを思い出し、何の根拠もないまま「BLUES」という文字が頭の中に点滅していた。

東部から南部を回り西部ロサンジェルス経由でその後の制作場所であるニューヨーク州に舞い戻るといった具合である。こんなことでいいのか？　あまりに適当にも思われたが呆気なく六都市は決定した。担当のおじさんは都市の名前を書き出し「一週間後に来い」と言うと笑顔で送り出してくれた。

その晩ホテルで、翌朝から始まる三カ月の日々を考えた。遡ること数年前ニューヨークに二週間ばかり滞在したことはあったが長期のアメリカ旅行と制作目的の滞在は初めてである。思いつくまま決めてしまった都市で一体旅がどういう形で始まっていくのか、またそこでどのような時間が過ぎ、どんな人物に出会うのか、さっぱり実感が湧かなかった。

ホテルに戻り、暮れかけた通りを窓から眺めると、入口にテーブルの置かれた書店が目に入った。大きく書店名が記された入口のガラス越しにオレンジ色の照明下の店内が見えた。新刊本なのか様々なカバーが平積みされた大きな木台を取り囲むように背の高い書棚が立っていた。東京でもロンドンでもないアメリカの本屋がそこにはあった。本用の木台に誰かが置いたマグカップと積まれた本の光景にアメリカに来たこと、これからそこでの時間が始まることをその時初めて実感した。

そんな本屋の光景をボーッと眺めている時、昼は日記、夜は夢日記を付けること、そしてこれから回る町で拾ったものを一冊のノートブックに貼り付けることを思いついた。

次第に、さっきまでフラフラと軸の定まらぬ心の中に絡まっていた曲線が少しずつまっすぐに伸びていくような気分になった。

一週間後再び事務所に行くと違う柄のアロハ姿のおじさんは、航空チケットの束、黄色い紙にタイプ打ちされたスケジュール表と希望都市の簡単な地図を目の前の机の上にドンッと置いた。心持ち得意気な空気を感じた。ホテルもすべて予約済みとのこと、ものの十分でそれらを手に外に出た。

別れ際、おじさんは笑顔で「GOOD LUCK!」とだけ言い肩をポンと叩いた。まったく拍子抜けする旅の始まりだったが、予期せぬ「自由」が突然転がり込んだような、味わったことのない重さをチケットの束に感じた。

翌日からピッツバーグ、ニューオリンズ、メンフィス、サンタフェ、ロサンジェルスそしてニューヨークを回り四週間はあっという間に過ぎた。各都市ではプログラムに関わるボランティアが快く案内してくれ、さまざまな人を紹介された。なんの見返りも求めずなんでそこまでしてくれるのだろうという思いがそれぞれの都市をついて回った。

終着地のニューヨークでは、引き続き始まる制作プログラム担当者が、希望する画材購入や配送などすべての手配をしてくれた。翌日、残りの六週間をスタジオで過ごすため列車に乗り込んだ。アーティスト・イン・レジデンスのスタジオはグランドセントラルから二、三時間北上した雪の田舎町にポツンとあった。それまでのニューヨークのイメージは一変し、ナイアガラの滝がニューヨーク州にあることを初めて実感した。

スタジオ全体は大きな納屋を改造したような二階建ての木造建物で、内部はアトリエと寝室それぞれ数部屋に分割された構造で、四〜六週間のローテーションで滞在者が入れ代わるスケジュールが組まれていた。既に詩人二人、絵描き一人、音楽家一人の四人がいて「ハーイ!」の呆気ない挨拶でその日から住人に加わることになった。

スタジオから十メートルくらい離れた場所に管理人一家の家があり、夕方六時にそこへ行けば夕食にはありつけたが、定時に食事をとった記憶はなく、都合のいい時間に適当に一人で済ませた。

期間中、時間的なルールは何もなかった。唯一の連絡手段である電話は呼び出し音が制作の邪魔になると配慮され、電話がかかると赤いランプが点滅するようになっていた。滞在者の制作に関する制約もなく、作っても作らなくても本人の勝手だという。六週間ただボーッと過ごすのも一千点目標に制作に励むのも自由、できあがった作品はすべて出身国まで送ってくれるという。イヴェントといえば、たまたま時間が合うメンバーと食材や画材の買い出しにいったり、夜何人かを募り、車で三十分ばかりの隣町にあるサム・ペキンパーの映画「ワイルドバンチ」に出てきそうなマネキンと剝製の吊り下がるバーに飲みに出ることぐらいだった。

天気のいい日は近くの雪の森を歩いて小高い丘に登った。管理人の六歳の娘が懐き、こちらの姿を見つけるとついてきて丘の上から近くの町のこと、足元の植物の名前を教えてくれた。

結局そんな真冬の時間の中で、ニューオリンズで一ドルで手に入れた古い帳簿を、拾ったテーブルに貼り込んだ立体一点、各都市の路上で拾い集めたものを貼り込んだノート一冊、二メートル四方の絵画数点、小品五十点ほどが手元に残った。

そのスタジオを出て日本へ帰る前日、レジデンス・プログラムの事務所へ寄り、担当者に感想を書くように言われ、レポート一枚を提出した。その晩食事に誘われ十週間あまりの出来事について話している時、初日に出会ったあのアロハのおじさんの顔が浮かんだ。

別れ際、僕はどのように感謝の意を表わしたらいいのかを質問した。するとその人は二十年、三十年後も君が何かを作り続けていることだと笑顔で言った。

それからいつの間にか二十年が経ったが、受け取った無償の愛は褪せることなき記憶として日々の制作に浮上する。

二〇〇五年六月

ゴッホと月兎耳

三重県のサボテン園を訪れた。

ついでにちょっと寄って見ようといった軽い思いだった。そこを探しつつ車移動している時、百年居続けても何も起きないような、よくある川沿いの田舎道をボーッと眺めながら、ヴィンセント・ヴァン・ゴッホの絵のことを考えていた。

二十年程前、アムステルダムにあるゴッホ美術館を訪れた。そこで目にした原画表面の異常な絵具の盛り上がり具合に対しての、いまだ表現しえない思いが、その後不意に頭をかすめる。ゴッホ特有のマチエールと言ってしまえばそれまでだが、至近距離で目撃したその凹凸は、「マチエール」などといった若干小洒落た響きの単語には到底納まりきらない何物かだった。

子供の頃からずっとサボテンが好きだ。

当時テレビ放映されていたアメリカ西部劇がそのことに影響しているのかもしれない。カウボーイとインディアンの背景には乾いた岩山や点々とはびこる巨大な弁慶柱サボテンが突っ立っている光景が必ず現われた。モノクロ映像で映し出されるゴツゴツした岩山と植物の曲線の織り成す影模様の中、サボテンは両手を広げて地球人を招き入れる宇宙人を連想させ、ローン・レンジャーの雄叫び「ハイヨー、シルバー!」のこだまが谷間に響いた。

子供時代を過ごした昭和三十年代から四十年前後にかけてのブームの影響か、日本各地にはサボテン園が普通に存在するイメージがあった。生活に少し余裕ができた日本人の心根にどこかピタッとくるものがあったのか、デパートの屋上などでサボテン祭りが定期的に開催されていた記憶がある。

当時を思い起こすと、中近東や地中海を思わせるメロディ、ジャズやラテン音楽に日本語を組み合わせた奇妙な無国籍歌謡が普通に流行っていたし、まだまだ洗練され切れずに屈折しつつ燻っていた欧米都会感覚への圧縮された羨望感がそこここに見られた。そんな熱気が大いなる勘違いとともに乱反射していた支離滅裂な世相に、サボテンに代表される奇妙なトロピカル感覚が奇跡的な統一感を醸し出し、実は非常に独創的で一期一会の日本景を生み出していたようにも思える。

西部劇で目にするサボテンの大きさには到底かなわないものの、またそれらの種類は非常に限られたものだったにせよ、子供の頃実際に目にした本物のサボテンは、いつも「植物」のイメージと結びつかなかった。鋭いアンテナを身にまとい闇の中でゆっくりと回転する正体不明の物体と対峙したような戸惑いを感じた。トゲの突き出る緑色の堅い皮膚を目で追ううち、フワフワと光年単位先に浮かぶ禁断の惑星に連れ去られるような気持ちになった。

両親はいつもシャボテンと呼んでいた。シャボテンの響きには甘酸っぱく乾いた孤独感があり、銭湯のペンキ絵から放射される淡い体温を感じた。

東京から宇和島に仕事場を移したばかりの頃、海沿いに並ぶ漁師の日本家屋の庭先に大きなウチワサボテンやフェニックス椰子を発見した時は興奮した。夕刻時、潮風に揺らぐ観葉植物に「極楽」の二文字が浮かんだ。四国の気候はサボテンと相性がいいのか、幹が樹のように太くどっしりしている佇まいに驚き、天日干しの漁師網越しに「シャボテン」の響きが蘇った。

訪れた三重県のサボテン園の母家は一般的な古い木造日本家屋で、塀越しに熱帯植物のてっぺんが数本覗いていた。

ノーガード状態で案内された目の前には目眩がするほどの驚愕の園が広がっていた。三角屋根の手作りの温室が四棟、その中にも周辺にも足の踏み場もないほどのサボテンと多肉植物がビッシリと一見不規則に配置されていた。

クラクラと立ち尽くしていると家の中から七十代らしき御夫婦が笑顔で現れた。御主人はその場所で四十年以上にわたりサボテンと多肉植物の品種改良や栽培をしている方で、初対面のこちらに対し、控えめに訥々とサボテンについて話し始めた。淡々ともの静かな口調で語られるサボテンへの底知れぬ愛に言葉をなくし気持ちが高揚した。

なぜあれほどまでに興奮したのか、風景を頭の中に再生しつつ理由を探るのだが、今もなかなかピタリと来る言葉が見つからない。あそこはサボテン園という仮の姿のパラダイスだったような気がする。

「熱帯混沌宇宙」そんな言葉が浮かぶ。サボテンに対する尋常ならざる愛が地中に埋まっているということなのか、そこに立っているだけでとてつもないパワーと快感が足裏から入り込む感覚を覚えた。

再びゴッホの絵が浮かんだ。あの異常な油絵具の盛り上がりは一体何だったのか繰り返し考えていた。

誰にも認知されず、金にも友にも恋人にも見放され、決して安くはない油絵具をあれだけモリモリに惜しみなく使い切ることでしか今を通過できない、そんな「思い」に言葉を失ったことを思い出していた。たくさん数を描きたいなら高価な油彩絵具にたくさん溶き油を混ぜて薄めれば済む話ではなかったのか？　実弟に無心してやっと手に入れた高価な絵具チューブからそのままグイグイと、まるで嫌がらせのようにキャンヴァスになすり付けなくてもいいだろう。ゴッホの絵の表面は、そうすることでしかどうにも彼の中を通過して行かない「時間」が、キャンヴァス上で固まる油絵具に過ぎた百年以上の「時間」に絡まったまま覆われていた。

足元に広がる無数の観葉植物の群れの中にしばらく立ち尽くし目をつぶると、「真っ当な孤立」という言葉が浮かんだ。

その言葉の背景に煌めく星々の闇が浮かび、一見殺伐とした星以外に何も見えない暗闇には無音の至福感が漂っていた。

イーゼル前に座りキャンヴァスに色を執拗に置くゴッホの姿。筆先からその表面に色がのる瞬間、キャンヴァス裏側から色面積分押し上げる不可解な力が起こる。理屈とは決して相容れない極限に孤立した場所から唐突に隆起する「思い」。あの凸凹はそんな風に生まれたのかもしれない。

四十年以上の時間を背負いつつ足元にビッシリと並ぶ三千種類ものサボテンと多肉植物の混沌は、ゴッホの絵具の盛り上がりと自分の中で重なっていった。あの盛り上がりはこんな風なことなのかもしれないと思った。ゴッホの油絵の中に立ち宇宙の闇を見上げているような気分になった。

サボテン園を出る時、こちらを見送る御夫婦からサボテンと多肉植物を数鉢いただいた。御主人がサボテンの名前を書き忘れたと言い、慌てて家に紙とペンを取りに戻った。

「これはベンケイソウ科の月兎耳《つきとじ》、こっちはアローディア属の亜竜木。両方とも原産地はマダガスカル島です。この葉っぱの付き方、面白いでしょ。こっちは兎の耳みたいで……。あれくらい大きくなりますよ」

そう言って手前から三番目の温室入口に立つ月兎耳を指差した。

別れ際、毛羽立った白いビロードのような月兎耳の葉にそっと触れた。ゴッホも「耳」には縁があると思った。

二〇〇八年六月

雑色ミラーボール

　真夜中、自宅への帰路、ノペッとダダッ広い宇和島の商店街を一人歩いていた。人影はない。

　夕刻を過ぎると一気に人気が引くその場所は、人口に比べてアンバランスに大きすぎる空間サイズが関係するのか、飛行機格納庫のイメージがふいに思い浮かぶ。

　誰もいない巨大格納庫の天井にはいつも大きな中古のミラーボールが反射光ないままジーッと音を立ててゆっくり回っている。……そんな妄想。

　恒例の夏祭り前、普段より派手目な飾り付けをほどこす時期の真夜中、間引き街灯節電が作り出す不整脈的暗闇を通過する時、一瞬ナイロビ裏通りあたりの原っぱに建つ近未来的な佇まいのディスコ図が頭上を通過する。遠く単調な低音ビートが響く。やはり人気はない。そこは微妙に未来らしい。

　春に訪れた伊勢、その駅前商店街でも大きな妄想ミラーボールが頭の中に現われた。そんな負のお宝的イメージには、以前自分の身に起き、記憶の底に沈殿している出来事が関係しているようにも思える。ミラーボールに共通して感じるのは「過去」ではなく「近未来」がまぶされている、そんな皮膚感覚。

日本各地を回りながら「ジャパノラマ／日本景」シリーズを描いていたのは九〇年代の中頃だ。過疎化街道をばく進中の日本ローカルから逃げ出すことの許されない「ローカル商店街」、実はこの空間は、記憶の中の負の一品を一瞬で近未来に結びつけてしまう魔法を装備している。

現在も日本のローカルで、現実からのネガティヴな視線を餌にどん欲に「退化の進化」を繰り返しながら増殖する不気味な「近未来」、それはとっくに「ジャパノラマ」を通過して真っ暗闇への暴走を加速している。そこにはいつも形容しがたい「音」が鳴っている。

それらは一丸となって場違いなテーマを投げかけ、予期せぬ「思考」を人間に促す。そのテーマにはとりあえず何の脈絡も必然も見当たらないが、何もなさの先に流れるねじれた時間に何かがつながっている、そんな確信がある。

自分の日常に「哲学」といった言葉は縁がないが、真夜中の商店街を歩く時「蛍光色の哲学」といった言葉が浮かぶ。

自分にとっての「哲学」は、蛍光色を帯びた何かの形を差すのかもしれない。蛍光形は進行中のあらゆる「藝術」域を避け、予期せぬ角度から頭をもたげる。

「最寄り駅」、それがその晩宇和島の商店街に降ってきたテーマだ。トボトボと歩きつつ「最寄り駅」について考えた。

住居、仕事場など日常の場に密接な関わりを持つ「最寄り駅」。

自分には今まで一体いくつの「最寄り駅」があったのだろう。すべての最寄り駅を関わった順番に環状に並べたら路線の中心に一体どんな形が炙り出てくるのか。

勤め人にとって、最寄り駅は想像以上に重要な場に違いない。学校を卒業してから、特定の場に通った経験のない自分にとって、最寄り駅は、最終的にオマケのように与えられる行き当たりばったりの場所だった。

四国瀬戸内海と宇和海沿いを走る予讃本線の終点「宇和島駅」、そこが現在自分にとっての「最寄り駅」と言える。

八〇年代後半、仕事場を東京から宇和島に移したが、その後も仕事の関係から東京新宿に小さな部屋を借りっ放しにしているため、もう一つの最寄りの駅「JR新宿駅」が加わる。

「宇和島駅」と「JR新宿駅」、現在基本はこの二つだ。通常「宇和島駅」から松山～羽田空港を経て「JR新宿駅」へ、そんな行ったり来たりを長らく繰り返している。

中継地点である「羽田」という場所、ここは今でも自分にとって二つの最寄り駅同様、特別な思い出の積み重なる地でもある。移動の際いつも利用する東京モノレールの車窓に京浜工場群がよぎる時、遠い日の記憶の中に「雑色《ぞうしき》」という二文字の駅名が浮かぶ。

昭和三十年代、二歳から八歳まで、羽田からそれほど遠くない大田区南六郷で過ごした。最寄りの駅は京浜急行「雑色駅」、子供の頃「ゾーシキ」と言っていた駅周辺の光景は、多摩川沿いの光景と一体となって深く心に刻まれている。

小学校低学年の頃、晴れた日の放課後は気が向くと二、三人の友達と土道の六郷土手を自転車で走り、羽田までよく行った。長らく羽田陸軍航空基地として米軍管理下にあった管制が日本側に全面返還されて数年後のことで、そんなことが「飛行場」と呼んでいたことの一因だったのかと後になって思う。

「飛行機」と「外人」を見に行く、当時羽田を訪れる目的はそれだけだった。信じられない話だが子供にとってそれはとても大きな出来事だった。運がよければ「外人」からお菓子ももらえた。その点は終戦直後と変わらない。

「羽田飛行場」の開放的で華やかな空気は子供心にも風通しのいい希望をいつも感じた。待合室に流れる空気は既に海の向こう側そのものであり、それは未知なる未来にわかりやすくつながっていた。

羽田近辺の土手から多摩川越しに眺める工場地帯の煙突からは、白や黒の煙がいつもモクモク立ち上っていた。所々煙突の先からはチロチロと飛び出る炎が灰色のスモッグ空を舐めていた。炎の動きは竜の舌を思わせた。垂直に硬直した竜が時折天に向かって気まぐれに火を噴いている、それはどこか頼りなく、また悲しげに見えた。

台風の時は六郷水門に野球バット持参で駆けつけた。荒波に流れ着く野球のボールを網ですくいとって集め、暴風雨の多摩川に向かって打つ、目的はそれだけだった。ちぎれたゴムゾーリ、使用済みのイチジク浣腸、無数のちぎれた葦、壊れたプラスチック用品に混ざり犬や猫のパンパンに膨れ上がった死骸が水門脇の岸壁に洗われていた。

物心ついて初めて出会った最寄り駅「雑色」にはそんな光景が無数に貼り付いている。

それから五十年後の宇和島、日々スクラップブックのページに印刷物を貼り込み、その上に色を塗っている。ページ上で色を混ぜながら「雑色」を「ザッショク」と読み替えてみる。今自分が起点にする地、かつて暮らした地、そして日々やっていることの隙間に因縁めいた空気が立ち上がる。その空気はあまりに呆気なく「雑」と「色」の字間に滑り込んでいく。

両天秤に最寄り駅が二つ、バランスをとりながら揺れる蛍光色の巨大秤が、上空に浮かんだような気がした。

二〇〇七年十月

全景

宿無し空

映画の背景の中にたまたま映り込む「空」、なんとも言葉にしがたいものをその空に感じることがある。

世界中、今、見知らぬ地で日々生み出される無数の映画、そこには作り手の意図を超えた何かが映り込んでしまっているにもかかわらず、誰もその事に気づくことがない、そんな空があるに違いない。

先日つけっぱなしだったテレビに、映画のクライマックスなのかモノトーンのアクション・シーンが映っていた。工場の空き地で主人公のいなせなヤクザ田宮二郎が警官隊と乾いた音の撃ち合いをし、車が爆発し、そして場違いな淡い色調のワンピース姿の女が泣き崩れていた。

背後に煙突と工場の空き地、素っ気無く鋭角的に立つ黒い骨組み、風に揺れる雑草、その上空に広がる灰色の空は、子供の頃よく遊んだ多摩川沿いの六郷水門の奇怪な形状を内側に組み上げた。一九六四年のアウトロー・アクション・シリーズの「宿無し犬」という映画だった。

視線は画面中央で動きまわる人間ではなく、めまぐるしく切り替わる背景の空だけをいつのまにか追っていた。

映画の中のそんな灰色空に唐突に出会う時、僕は今でも言葉にならないもどかしい記憶をゴリッと鷲掴みされるような気分になる。この気持ちはなんだろうといつも思う。いまだ未解決のまま引きずり続ける何かの塊としてジワジワと込み上げてくるのだが、ザラッとした感覚だけを残し、素知らぬ顔で再びペタッと平らな日常の隙間に姿を消す。

そんな感覚が絵を描く取っ掛かりになることもある、がキャンヴァスの中央に確かな形を伴って現われることはいまだない。衝動に従うこと、どんなことになろうともどんな場所にブチ込まれようと、次を作ること……結局そこに突き当たる。

来年九月からの東京展を皮切りに、その翌年にかけて美術館での巡回展（編注：当初の案）が突然決まった。

真っ暗な洞窟の中でそこから先に穴を掘っていたら、突然、背後の業務連絡用スピーカーから展覧会通達を受けたような、また二十五年間同じ椅子に座ってポーカーをやっていたら初めて予期せぬカードが回ってきたような、そんな気持ちだ。が、以前、一夜の水害で個展が中止になった経験もあり、近頃の無気味に揺れる日本列島、あとは地震がどう出るか、あながち冗談ではない気分だ。決まった以上、たとえ大地震ですべての美術館が崩れ落ちようとそれはそれ、その崩れ落ちた場所に絵を一点でも多く並べてみるしかない、そう思った。

今まで国内外での巡回グループ展には参加したことがたびたびあったが、個展での巡回は初めての経験だ。問題はいつも必要とするスペース確保だった。

デパートの通路、イヴェントホール、倉庫、画廊等さまざまな場所で個展を開いたが、展示内容は展覧会開催前二、三年の間に制作した新作を会場規模に合わせて発表することが多い。

制作時、一定のスタイルに沿って作品を作ることはきわめて稀だ。作品にコンセプトを求め始めると、どうしても無意識の守り方向に引きずられる。「今」スパークするその瞬間、自分にとって鍵はいつもソコだ。頭で考える一貫性やスタイルにはまったく興味がない。時に一歩引いて過去と今を俯瞰して見る事の重要性はわかるが、同時に大きな落とし穴にはまる危うさも感じる。

今起きる衝動に従い、ものを作っていったら一体どうなるのか？　そこにはその場しのぎ、中途半端、まったく無節操で支離滅裂なる残骸だけが残るのか？　それとも意味や意図を超えた何かがカスるのか？　それは実際並べて見てみないとなんとも言えない。

その時々の「今」という「点」を、単純に時間軸上に並べて見たいという思いはずっと持っていた。もちろん時間が単純に一本の線の上を流れるとは思っていない。しかし作品の意味や流れを踏まえることなく、作ってきたものを年表的な時間の上に羅列することは可能だろう。

その線上にはおそらく自分の意図を超えた何かがあぶり出されて来るに違いないといった思いがずっとある。それを自分自身の目で一度見てみたい思いが強い。

二十五年間に作ってきたものを納得のいく選択で並べるといっても、結構な大きさの展示場所を必要とする。いくら強い思いを持ったとしても、それがおいそれと実現するものではないことはわかっていた。ましてココ、中心から遥かド外れた山奥でなんやかんやいくら考えたところでどうなるわけでもないことも承知の上。そんな思いの先、心をよぎるさまざまな瑣末な事柄に振り回され始めるとその途端、いつも自分の中の「点と線」への試みは単なるたわごととして一瞬で山の夕闇に遠のいた。「ア」「リ」「エ」「ナ」「イ」……この五文字。行きつくのはいつもそこだった。

たわごとはいつしか心の隙間に液状化を促し、妙にネバッこい悪循環がドッと蠢き始め、結局は生まれ育った東京のあの頃のモノトーンの「空」が、ココ四国の宇和島上空にいつの間にかゆっくりと流れ込んだ。東京にいた／いる自分には決して湧かない感情……、その先にあるもの。

真夜中、部屋から見上げるその夜空には、ビルの屋上に設置されたホテル看板の「宇和島」という文字が水銀灯の光に照らされ立ちはだかる。こいつはかなりふてぶてしい。ぬけぬけと憎たらしく、そして非常に手強い。その主張はいたって明解だ。その看板の言いたいことはたった三文字……「宇」「和」、そして「島」、それだけ。それだけ言ってただ光っているだけ。真夜中三時になりゃプッとぬけぬけと消えやがる。絵を描いた後、その瞬間を偶然仰ぎ見てしまった時の気持ち、これはなかなか複雑だ。ホテル経営者に恨みはないが、その瞬間看板に殺意すら覚えることもある。

で、どうする？　という思い、決して届かない思いと距離……。どうするかだ、いつも。どうにかするしかないだろう、どうにかなるに違いないとその看板に浮かぶ宇和島の文字に心の中の真っ暗闇を無言で投げ返す。そして再び絵を描く作業に戻る。

人は宿命的な生地という居場所からどこかへ移動し、様々な出会いや出来事を経たのち、生地の視点から、起きた出来事を振り返るのか。〝自分の生地〟と〝どこか〟と〝出来事〟……、自分の中で〝居場所〟を突き詰めるとき、「宿無し犬」の「空」がポッカリと浮かぶ。〝宿無し空〟だと思った。

映画の中の灰色の空は、網膜経由でこちらの立ち位置を直撃する。そのふいの衝撃は沈黙を促す。

二〇〇五年四月

牛男の思い

道東に、オホーツク海に面した別海《べっかい》という町がある。

明治時代に開拓が始まった平らな酪農の地で、「折れ曲がった川」を意味するアイヌ語「ペッ・カイエ」の語源通り、原野中央を走るサケ養殖で有名な西別川河口は海の手前でカクンと折れ曲がり、サケの下顎のようにオホーツクに流れ込む。「村」から「町」になって間もない一九七四年から七五年にかけて、一年間働いていた牧場が、別海に今でもある。

先日、新宿東口裏通りを歩行中、当時牧場の部屋でよく聞いていた曲が店先から流れてきた瞬間、今そこへ行くことは最重要事項ではないか？　オイッ、という気分がクッと持ち上がり、そうだ別海へ行こう、今行くべきだと思い立った。というのもこの一年、その地で気になっていたことが進行していたからで、街中の不意打ちの曲に、踏ん切りのつかない背中ド真ん中に「今！」という最後通牒スタンプを捺されたような気持ちになった。

二〇〇六年秋に東京で始まる巡回展が決まった昨年の春、報告がてら牧場に電話を入れた。今年六十三歳になる牧場主はそのことを自分のことのように喜んでくれた。話すうち、七〇年代半ばの牛飼いの日常風景を写した写真を、当時一緒に働き今でもその地で生活する高齢の人々の目の前に掛けることはできないかと、ふと思った。

そんな電話口での長話では具体的な事柄は一切出ず、流れはいつしか近所の近況報告に変わり、じゃあお元気で、と電話を切った。

今夏、牧場から連絡が入った。「別海の会場、ほぼ完成したから」。牧場の主は突然言った。その声はウキウキしていた。どうやらトイレと水回りのコンクリート打ちを済ませれば泊まれるところまでこぎつけたらしい。昨年春の電話からの一年間、牧場仕事の合間に八十四歳になる隣の牧場主と二人で使わなくなった直径七メートル高さ五・七メートルのサイロを運び、森で伐採した木を製材して壁と床を張り、展示会場を黙々と作り続けていたらしいことが話しからうっすら見えてきた。途中二人とも寒さと過労から病院で点滴を受けたらしい。

じゃあと電話を切った後、美術とはまったく縁のないその牧場主の中で何か消すに消せぬ火がついたのだ、と思った。宇和島経由東京と別海か……一瞬クラッときた。宇和島、東京、別海の三カ所を頂点とするビロンと伸びた細長い三角形が頭の中に浮かんだ。

牧場主の燃えたぎる思いを聞くうち、十九歳でその牧場を後にして以来、さまざまな場所で経験した「展覧会」とは異質の出来事に足を踏み入れている気がした。遠い昔、美術とは無関係の地で出会い、毎日牛の世話を手伝わせてもらい、その後も続いた関係の中に沸き上がったお互いの衝動の交差点……。

これまで経験した「展覧会」で括るにはどうしてもはみ出る気がした。自分にとって、本当の意味で名付けようのない初めて経験する出来事なのかもしれないと徐々に思えてきた。

そんな経緯の後、滞在していた東京での慌ただしい時間の中、北風吹きすさぶ原野でサイロの外壁を釘打ちする二人の姿がチラチラと浮かび、新宿東口裏通りで突然曲が流れてきたのだった。一刻も早く進行中の名付けえぬ場所を見よう、完成してからではダメだろう、何か反則だろう、歩きながら心が妙に焦っていた。

羽田から一時間四十分あまり、一日一便の飛行機で中標津空港に着いた。待合室には牧場主の変わらぬ笑顔があった。空港の外へ一歩出ると冷たい風に絡んだサイレージの匂いが鼻に飛び込んできた。三十年以上の時間が一気に飛び去っていた。遠い過去と未来の入り交じる匂いつきのモノクロの記憶の中に今立っているような気持ちが込み上げた。

車で三十分あまりの牧場に着き、新宿から別海のサイロの前に瞬間移動したような錯覚を覚えた。展示場となるドアと窓のついた濃紺の円柱サイロは、見覚えのある原野に突如降り立ったタイムカプセルに見えた。中に一歩踏み入れると、そこには高純度の北の空気がゆっくりと回転していた。これをじいさん同士二人きりで組み上げたのか……唖然だった。何もそこに掛けなくても、既に十分できあがっていた。空っぽの方がよっぽどいいようにも思えた。円形の床の中心に立ち自分を取り囲む高さ五・七メートルの曲面をしばらく眺めた。時間が内を行き来するかの経験したことのない気持ちがドッと込み上げた。

滞在中、阿寒地方や中標津周辺で長年創作活動を続ける人々の展覧会をいくつか案内してもらった。廃業農家の牛舎や家屋を自分の手で時間をかけて改装した場所に自分自身の、また土地にゆかりのある芸術家の版画やオブジェを置く展覧会場を見、そこに暮らす人々からいろいろと原野の美術事情を知ることができた。

都市から遠く遠く離れた原野に自らの手で展示場所を作り上げ、観客動員とか入場料、交通の便とかいった都市での必須事項と隔絶する場所に作品を置くという行為、それは一体どういうことなのか。そもそも「展覧会」とは一体何なのか。地平線と森を眺めつつ考えた。

都会の最新情報から断ち切れた四国の宇和島で、一人大きな絵を描いている真夜中、ふと感じるとてつもない空しさ、どうにもこうにも届くはずのない思い、E.T.が自分の星に向け傘を改良したアンテナから発信する信号を信じ夜空を見上げる百万光年先の絶望感にかろうじてこびりつくかすかな希望のようなもの、理屈ではどうにも伝えきれない思いが心をよぎった。

予期せぬ場所で偶発的に出会った作品には、観た人の心にドロッと濃い液状の引力のようなものを残すことがある。また物質や現象、距離といった事柄が、今、ソレを観ている肉体にのしかかってくる。それは時に心地よく、ある時は耐えきれないほど厳しい。

最近よく美術の世界で耳にするアウトサイダーという言葉、なぜか二、三日前に別海で観た絵が浮かび、作品云々以前に展示会場にもアウトサイダーといったものがあるのではないか、そう思った。

作品に限らず、人はなぜ作り出したものを他人に向け発信しようとするのか、作り出すだけでは満足に至らず、地平線が取り囲む原野や山の中においても展示したいと願うその思いは一体何だ。

そこにはコミュニケーションなどといったたやすい言い逃れの向こう側の世界が見え隠れする。人が物を作り続け展示しようとする欲求は、頭で見つけ出したコンセプトよりも、理不尽さに取り囲まれた不本意に無謀にも対抗しようとする思いが深くつながっている。

正体不明の真っ暗闇の縁には、いわゆる「幸福」と決別した神様がチョコンと座り、縁から覗き込む数少ない観客を注意深く選び出し、その先の重要な闇を手渡ししているのかもしれない。別海の夜空にそんなことを思った。

二〇〇五年十一月

絵の重力

「data／データ」という英単語の響きを初めて耳にしたのは一体いつだったのか。小学生の頃テレビで観たスパイ番組かなにかだったのか、とにかくかなり前のことだ。

中学校の英語の授業でその単数形が「データム／datum」であると知った時、その豹変具合と単語の響きに妙なカッコよさを覚えると同時に、その無機質な響きにどこか冷たい印象をもった。一からその数を増すとコロッと姿を変える単語はいくつもあるが、「データ／データム」には、つい先ほどまで「一」という姿だった自分とは無関係かのように無表情に正論を言い放つ正服姿の男が思い浮かんだ。

その後、絵を描く日常ではあまり耳にする機会の少なかった「データ」を頻繁に耳にするようになったのはいつ頃からだったのか、ある時期を境に、普通の日常を送る人々もいつしか「データ」を口にし始めた。

「で、そのデータありますか？」

当時、話し合いがこんな感じで締められた時、歩きながらつま先だけ未来に踏み込んだようなとまどいを覚えた。

わかっていると思い込んでいる言葉の意味が時代の流れの中で微妙なニュアンスを帯び、気づいた時には未知なる空気が「データ」に絡み付いていた。

そんな事柄は昨今多い。本来の言葉の意味だけではなく、時代のニュアンスとセットで捉えないと理解しづらい単語が急に増えた。それは言葉のイントネーションにも感じる。日々変化する言葉の語尾発音の上下に根底から意味合いが変わってしまう不気味な速度を感じる。

ニュアンスとセットの単語の意味を必死に探る様は、ポッと頭に浮かんだ作品の最終的な形を捕えようとする気持ちの動きにも似ている。膨大な量の商品が並ぶ巨大倉庫内の蛍光灯の下、独りノートと鉛筆を手にした棚卸し作業中のオジさんが途方に暮れている、そんな間抜けな光景も頭に浮かぶ。

美術世界での「データ」の意味合いや使い方も、世の中のデジタル化とともに大きく変化した。

「もし人が作り出すものがすべて実体のないデータだったら」

ふとそんな空想がよぎる。もし人が生を終える瞬間、同時に実体のないデータだけを残し、本人の作り出した絵や音楽、文字、言葉などによる一切のモノが自動的に消去してしまうとしたら、世の中は一体どんな姿になるのだろう。美術館の展示風景はどんなことになるんだろう。

この秋、東京都現代美術館でスタートする個展規模は今までのものとあまりに異なり、さまざまな局面で経験不足を痛感する日々だ。もっといけるだろう、まだまだ言いきれていない、ボコッと何か忘れてはいまいか、そんなことが頭を離れない。

本当にオープンするのだろうか、そんな思いの後、頭の中に組み上げた展示会場の仮想空間を歩き回る。そこにはどうにも「データ」と呼ぶことが不可能な画像がひしめき合い動き回っている。

展覧会準備は一昨年の春スタートした。

一度展示しただけでその後二十年間梱包したままのもの、どこかへ消えてしまった作品の一部を見て見ぬふりをしてきたままのもの、展覧会に一度も展示されないまま十五年以上作業場中央に山積みになったままのもの、返却された日のまま段ボールの中身をすでに忘れ去ったもの、そんな状態の仕事場に立ち、一体ここからどうやって展覧会を組み立てればいいのか、とりあえず目の前の山裾にチョロリ出た一点を引っ張り出し、それから撮影し記録していくしかない。途方に暮れるうち、あっという間に丸二年が経った。

進行中の準備作業で強く感じるのは、展覧会に関わり自分の気づかない場所で動いてくれている人のさまざまな「思い」だ。予定されている三千平方メートルという展示規模では、これまで経験したやり方で物事を進めても到底実現できないことはわかってはいたが、まったく先の見えない作業の中でなんとか自分に前を向かせているのは理屈ではなくそれらの人々の「思い」だけだ。

仕事以上の「思い」に気持ちが触れる時、未経験の領域に足を踏み込む勇気、今日中に一ミリでも先へ進もうとする意志がジワジワと湧いてくる。

過去に作り出された美術作品を長きにわたり人々に継承していくよう努力すること、それはもちろん非常に重要なことだ。しかしこの世を去った人による十分評価の確立した作品を前に、第一発見者のように「芸術」の本質を語る人と出会うと居心地の悪さを感じる。そこに自分の思い続ける「芸術」とはかけ離れた「距離」を感じる。

一番興味を持つのは今も昔も進行形の出来事であり、今この世に生きている人々による作品だ。それらが現在評価の外にあろうと、そこに新たな価値観を見つけ出しゼロから組み上げようとする意志、それが自分にとって大切なことで、そんな人々の思いが自分の中で「芸術」というものに強く繋がっている。

今作り出されているもの、それを見たい、今日世界のどこかで生まれたバンドの音を今聴きたい、そんな欲求が昔から強くある。それは世の中の「芸術的価値」とはまったく別の場所にある。そんな場所にごく稀に何かが起きてしまうこと、そこに立ち合うことに一番興奮するし、たまたま同じ時間を共有している人々との特別な関係も生まれるように思う。

昨晩、この二年間最後に回していた大きな作品群の撮影を終えた。

今回撮影のため、忙しい中「いいよ」と二つ返事で東京から宇和島まで機材を積んで来てくれたのは三十年来のアナログづきあいになる友人カメラマンだ。彼はこれまでも二十年間あまり、東京から片道千キロの距離を「行くよ」と来てくれた。

どんなに世の中がデジタル化されようと一枚の絵がポジフィルムというデータに至る過程に変わりはない。二百キロの絵の撮影は二百キロを壁に取り付けなければ何も始まらない。その作業を二百点分繰り返すには仕事を超えた「思い」がなければデータ化には至らない。

そんなことは当たり前だろうと人は言うが、その当たり前のことを二つ返事でやろうと言い、そして黙って動いてくれる人はなかなかいない。

サイズが三メートルを超える作品は壁への設置後も撮影までライティング作業の調整に時間がかかる。ライティングはちょっとした角度で絵の表情がガラッと変化するので神経を使う。そんな思いを友人カメラマンは目を合わすだけで察し、希望以上のポジフィルムによる「データ」を仕上げてくれる。

作業が終わり機材を積み込み「じゃあ」と走り去るカメラマンの車が仕事場前のカーブに差しかかる時、いつも絵の「重力」が風のように通り過ぎる。

二〇〇六年五月

女神の自由

八年前、ＦＲＰ製の古ぼけた「自由の女神」像は長年の勤めを終えた新潟の貸しビデオ屋入口脇から宇和島のアトリエにやって来た。

その年の正月明けに始まった新潟県新津市での個展は、新津市を足掛かりに自分にとっての「日本のローカル」を基本的なテーマとした。展覧会のアイコンとして国道沿いに唐突に姿を現わす「自由の女神」像を会場入口に設置したい思いがあった。早くからその筋の関係者に声をかけていたが、結局展覧会オープンまでに「女神」は現われず、終了後大分経ってから手元に来ることになった。

終了後であるにもかかわらず手に入れようと思ったのは、その一年後に他の場所で個展が決まっていたためで、そこで実現できるのではないかといった漠然とした計画があったからだ。

待望の「女神」が大型トラックに乗って到着し、クレーンでアトリエ脇に下ろされるのを眺めていると、アラッといった思いがよぎった。何かが違う、おおっとかなりズレている……のではないか？　そんなことだ。

突然の業者からの連絡に現物の確認もしないまま「ハイ要ります」と言ってしまった結果、作業現場に立ち会っていることは理解できるが、荷台を離れてゆっくり揺れる宙吊り状態の物体が醸し出す空気はあの「自由の女神」モデルとは大幅に違うぞ、いや別の何かだ……話が違うだろ！　そう確信した。

目の前にアッという間にドッテリ横たわった女神は予想以上にデカかった。

体長七メートル弱、体重一トンの小太り越後顔である。トラックを迎えた時の歓喜は女神着地と同時に絶望に変わっていた。

運送業者は業務を終え、印を受け取ると、カラッポのトラックで呆気なく去った。

横たわる女神の腹あたりに立ちつくし、なにかドッポリとした悲哀感が込み上げた。

到着まで思い描いていたホリの深い西洋人の女神と大幅に異なるポッテリ顔の女神とともに宇和島にいるという現実……特殊な趣味人の集う合コン部屋に間違って足を踏み入れ室内を見回した瞬間のような感覚に陥った。

嫌悪感というのではまったくないのだがこんなはずではなかったといった、今一つ腑に落ちない感情はなかなか去らない。いっそアトリエ脇に立ててしまえと、地元の建設業者にブツを見てもらい早速基礎の見積りを取ると「五十万円！」と言われ頭をかかえた。そりゃあんまりだ。こちらを盗み見た女神がニヤリとしたように感じた。

アトリエ脇を流れる川の五メートルほどの高さの滝に放り込んだら結構いいのではないかと思ったが、近所の稲作用水路組合が殴り込んでくるのは避けられない。おそらくこちらの言い分は通らないだろう。

そのうち女神出品を予定していた個展も流れてしまい、アトリエ脇で横たわる女神の存在理由はますます不可解な領域に踏み込んでいった。

ローカルな場所でふいに理解不可能な代物に出会った時の徒労感は経験済みであったが、それを個人的にしょいこんでしまった脱力感には、女神のふる里新潟の、日本海沖の闇がそこはかとなく貼り付いていることをしみじみと思い知った。

結局台座に組んだ材木の上に横たわった女神は風が吹くと乾いた音を出すブルーシートに包まれたまま月日が過ぎた。

客観的な存在だった女神は、その頃から、変則別居生活を強いられた体長七メートル弱体重一トンのいつもゴロリと寝ているだけの女に対する感情とでも言えばいいのか、特殊な気配をまとう物体へと少しずつ変化し始めた。「なにかと長くなるぞ」といった思いがにじり寄った。

三年が経ち五年が過ぎ、いつしか横たわったままの女神からはシートもボロボロにちぎれ落ち、たいまつをかかげたその身体には雑草が複雑に絡まっていった。

別れをうまく切り出せないまま同居の日々が悶々と過ぎ去る中年男の気持ちとでも

言ったらいいのか、こちらがよほどの覚悟をもって立ち向かわない限り、横たわるドデカい無言女との関係は微動だにしないのだといったプレッシャーが心の一部を圧迫し続けた。

女神の台座も朽ち出し、その寝姿が微妙に傾き始めた三年前、今年秋から年末にかけて始まる展覧会が決まった。

東京で展覧会に向けて一回目のミーティング後、ぼんやりと頭に浮かんできたのは、山間に寝そべる女神のことだった。ちぎれたシートと雑草に絡まるその佇まいも嫌いではなくなっていたが、一度きちんと見つめなおし納得のいくよう関わってみたい、法外な慰謝料も覚悟の上でなんとか「バカデカい女」との関係に決着をつけたいといった気持ちが頭をもたげた。

この機会を逃したら一生女神は横たわったまま朽ち果ててしまう、それはおそらく取り返しのつかない恨み節を轟かせるに違いない。なんとか作品として仕上げ横たわる「女」をスックと立ち上がる女神像に変身させようといった思いが湧いてきた。

とりあえず一度綺麗に汚れを取り去り大きく破損した箇所から修復を開始すべく興味を持ってくれる作業現場を探し始めた。ここから女神のゴネりが始まった。

いくつかまとまりかけた話は二転三転、その重量とサイズのためか運搬や塗装の見積りはウナギ登り、とりあえずといったこちらの甘い考えが吹き飛び、どうにも収拾がつかなくなっていった。

この程度の扱いで今までの長年の仕打ちをチャラにできるとでも思っているのかとデカい寝言で毎夜詰め寄られているようでなんともやるせない日々が続いた。

そんな紆余曲折を経て、先日、岡山の海辺にある小さな造船所が興味を示してくれた。修復作業のための女神直立設置完了の一報を受け、早速女神に会い、そして「同居」か「別居」もしくは「別れ」かの最終判断を下そうと行って来た。

車を降りると、港に停泊中の釣舟の合間に足場に囲まれた「自由の女神」の後姿が目に入った。デカいなこの女、と再び思った。近づくにつれ、ワン・アンド・オンリーな存在感が迫ってきた。いけるかもしれないと歩きながら心が躍った。

恐る恐る前に回り込み複雑な思いで顔を見上げた時、もう一度やり直そうと思っていた。直立の女神は強い意志を放っていた。ローカルから遥か彼方見たことのない場所に一緒に行けるかもしれないと思った。「自由」と「不自由」、どちらを選ぶのも女神の自由。女神と足場の上から海を眺めつつ、そう納得した。

二〇〇六年七月

原野の個展

十八の頃働いていた北海道別海町の牧場に作品設置に行って来た。

十月中旬から年末にかけて東京で始まる個展「全景」開催に合わせて、その牧場の主人と隣の八十四になる牛飼い一筋のTさんが二年を費やし展示小屋を建ててくれ、そこで作品展を開催することになった。

昨年十一月、様子を見に牧場を訪れた。牧場敷地内会場予定地には既に高さ五・七メートル直径七メートルの濃紺の円形ドームがドンッと置かれていた。会場となる円形ドームは高さ二十五メートル直径七メートルの円柱サイロの天井部分を切り取ったもので、床や壁への木の打ちつけ作業を終えたところだった。

ドーム前に立ち、三十二年前毎日牛舎に通っていたそのあたりのことを思い出してみたが、以前その場所はただの林だったことに気づき、そこを走るジャリ道の勾配に時間の流れを感じた。

今回設置に訪れた会場は、入口部屋、テラス、トイレ等水まわり箇所も終了し、前回とは比べものにならない完成度に仕上がっていた。外に立ちしばらく建物全体を眺めた。

頭の中の「昔」と目の前の「今」がなかなか交差していかない意識の中、あの頃からまったく変わらない原野を背景に、そのドームがユラユラ浮かんでいるような奇妙な感覚を覚えた。

牧場到着直後、東京からの手伝いと設置を始め、三日かけて順調に作業を終えることができた。

一九七四年東京の高校卒業後、一年を過ごした牧場で写した写真や絵、その後訪れた際描いたスケッチなど七十点あまり、またやりとりした手紙や資料等をケース内に展示した。

設置後一人になり、タイトルキャプションやら展示チェックのつもりで淡々と見て回った。

二階の窓から三十年以上変わらない森と地平線が見えた。ココは一体どこだ？　と思った。一瞬記憶が飛んだような気持ちになった。

壁には働いていた当時描いた絵やその頃の写真が掛かっている。つい先ほどまでその小屋で一緒に釘打ちをしていた六十四になる主人は写真の中で三十二歳の姿で牧草に寝そべり、また十八歳の自分がこちらを睨んでいる。

写真の中は確かに三十二年前、まったく見ず知らずの別海の人々の家を訪れ、一年間働いた牧場には違いない。

この場所を出て以来、絵とともにさまざまな地を訪れた。ロンドン、香港、パリ、ベルリン、ニューヨーク、ケニアにバリにタンジールそして宇和島……決して短いとは言えない時間が過ぎた。てっきりココからずっとずっと遠く離れたところに行ったものだと思っていた。

美術館でもなくギャラリーでもなく、また「芸術」とはまったく関係のない「牛を飼う」人々の気持ちからできあがった場所に作品設置を終え、今五十の自分がそれらを眺めている。これは一体どういうことなのか、何かピタリと納まらないままの感覚が続いた。

十八の時、ココで目指した「芸術の場所」とは詰まるところ一体どこだったんだろう、それはどこにあったんだろう、そんなことを思った。

窓から、夏の日射しの下、ゆっくりと牧草を食むホルスタインの群れが視界に飛び込んできた時、必死に目指した場所がかつていた牧場だったことに笑いが込み上げた。

心地よい夏風とともに吹き込む牛糞とサイレージの匂いが「今」と「過去」に絡まり、鼻奥の粘膜と脳味噌をツンッと直撃した。

漠然とした答えに行き着いたようでもあり、あれから一ミリも進んでいないようにも思えた。ただ今、ココで自分が絵の前に立っていることが愉快な時間に思えた。

結局それがどういうことなのか、そのうちどうでもいいようにも思えた。

それらすべてをひっくるめて「絵」なのだろう、はっきりしない思いのままできたてのテラスに座り、目の前に伸びる牧柵まわりの風景を二、三枚スケッチした。

滞在最終日前夜、別海の牧場から車で三十分ばかりのオホーツク海に面した港町、尾岱沼《おだいとう》の小さなホテルで別海展の取材があった。夕食後、一人タクシーで牧場に戻ることになった。こんな所でタクシーに乗るのは初めてだった。

限りなく黒に近い灰色の空の下、漆黒のオホーツクの水平線が左手に伸びていた。上空は満天の星がキラめいている。

正面前方の国道消失点に向かい車が加速し始めた時、さまざまな記憶が一気に炙り出てきた。

夜のオホーツク海沿いをタクシーで突っ走っているということが、ものすごく重要な出来事のように思え、北海道なまりの運転手が実は自分の未来を牛耳る道先案内人かもしれぬ、そんな妄想が浮かんだ。

闇に過ぎ去るそんな時間が今回の別海滞在と深く関係があるようにも感じられた。

対向車ゼロ、真っ赤な蛍光板が反射するガードレールと交通標識、延々と続く真っ暗な北の海、窓からの重ったるく吹き込む黒い潮風……目の前に起きていることはとりあえずそれだけだ。

クラフトワークの「アウトバーン」と八代亜紀の「舟唄」が同時に頭の中で鳴り出した。

二つのメロディ・ラインが単なる高音域電子音と低音域サックス音に聴こえた時、再びココはどこだと思っていた。

十数年前、似たことがあったと思った。ロサンジェルスでの事だ。

街中からマリブにある画家デヴィッド・ホックニーの家を目指してタクシーに乗ったのだ。あの時もこんなスピードでこんな道をひたすら走った。

突然後方からものすごいスピードで追い上げてくるデカいオープンカーに気がついた。バックミラーに車内のヒッピー風の人の群れが映り込んだ。オッ！　ZZトップ（一九六九年結成、テキサス出身の三人組ブギー・ロック・バンド）か？

サングラスオヤジ三人がビキニ姿の若い女二、三人を乗せ、こちらの車を追い抜くため一気に加速した。追い抜き際、赤ら顔のドライバーがこちらを見てニヤッと右手親指を立てた。そんな記憶が蘇った。あの時もスカッとヤラれた感じに笑いが込み上げた。ZZオヤジに自分の時間を根こそぎ持っていかれたようで、すれ違いざま、何かの本質が心に吹いた。あれは本物のZZトップだったのかもしれない、そんなことを思いつつ夜のオホーツク海を再び眺めた。

翌日、中標津空港から宇和島へ向かった。羽田で一時間の乗り継ぎ待ちがあった。搭乗口前の空いた椅子に座り、ガラス窓越しの滑走路を眺めた。その向こうに広がる東京湾に白い船が点々と浮かんでいた。二時間前までいた別海の原野と牛に見えた。足を組んで伸びをすると靴底のミゾに乾いた牛糞が見えた。どこかへ行き着く必要なんてないと思った。

二〇〇六年八月

蹴景

一九八三年の二月、初めてニューヨークを訪れた。

当時ニューヨークといえば、危ない！　気をつけろ！　夜は地下鉄に乗るな‼　と、治安の悪さとセットで語られる時代で、ニューヨーク経験のある友人からは絶対踏み込んではいけないエリアを事細かに教えられた記憶がある。そんな話を通して当時多少馴染みのあったロンドンとはかなり異なる地であることは十分伝わってきた。

自分の知る「ロンドン」と対極のイメージの「ニューヨーク」になるべく早く一人で訪れてみたい、そんな思いも強く、どんな内容であれニューヨークに関する話に飽きることはなかった。

高校生の頃、美術雑誌で宙に浮ぶ銀色の枕といった体のウォーホルの作品《銀の雲》を見た。

ギャラリー内なのか、ヘリウムガスの入った銀色の枕状の物体がユラユラ浮かぶカラー写真で、そのイメージは「ニューヨーク」そのもののように映った。巨大な銀色枕の湾曲面に周囲の様子を写し込みながらゆっくりと頭上を移動する無数の銀枕が浮かぶ街、ヒヤッとした冷気が差し込むかのそんな妄想都市はニューヨーク以外には思い浮かばなかった。

　初めてのニューヨークに着くと、友人の書いてくれたメモはどこかに置き忘れていた。

　ホテルの受付にあった簡単な地図を手にブラブラするうちにアヴェニューCだかDだかを歩いていた。さすがに日本で聞いたアドヴァイスが脳裏をかすめた。確かにすごくヤバい雰囲気なのだ。路上で喧嘩といったことではなく、ビル上方からの無機質な視線、妙にコザッパリした静寂感から醸し出されるヤバさとでも言えばいいのか。とにかく今自分は現在進行形でマズいことに突入しているという思いで、足早にそのあたりを抜け、適当に一軒の小さなカフェに入った。

　しばらく店内から通りを眺めていると、突然二、三人の少年が駆け込んで来て、隣のテーブルに陣取った。全員頭にはキャップをかぶり、手にはそれぞれさまざまな柄のジャケットを握っていた。走ってきたのか息も荒く、会話を始めた彼らは皆、とても愉快な雰囲気である。不幸のどん底にいる人を一瞬でハッピーにしてしまうかの特有のリズムの笑い声が店内に響いた。

　そんな雰囲気に誘われ、チラチラと隣の様子を窺っているうちに、彼らの頭上に気になる動きを感じた。笑うたびに何かピロピロ動くのだ。それらはそれぞれのキャップ後方上部に十センチくらいの面積で揺れるデカいメーカータグであった。その光景にガッツリとニューヨークのイメージが踊り出た。

どういった経緯でそれらのキャップが彼らの頭上にあるのかは知る由もないが、タグ付キャップが本日の戦利品の印であるかの妄想イーストヴィレッジ・ストーリーが組み上がっていた。

都市によってガキ共も違うものだと思った。その佇まいに自分がどうあがいても追いつかないたくましいカッコヨサを感じた。意味もなく一瞬アンディー・ウォーホルが匂った。「蹴り」の形を目の当たりにしたような、自分の「蹴り」の脆弱さを垣間見てしまったような、妙なすがすがしさとこちらの猛省が入り交じる瞬間でもあった。

最近、久方ぶりに「大竹君」と呼ばれることが多い。不意に「君付け」で呼ばれると時間が逆戻りしたような、また忘れかけた「初心」が風と共に心を通り過ぎるような気になる。

もうすぐスタートする「全景」展には美大時代の二十代前後に描いた作品も数多く出品される。美術館の建物三フロアすべてを使うのだが、偶然、大まかに上のフロアから二十代、三十代、四十代といった作品構成になった。

このところの「君付け」の原因は、初期作品フロアに展示する作品の借り受けの中で、学生時代に遡る初期作品の所蔵者からも懐かしい声の連絡を貰うことが多いからだろう。

当時の所蔵者の方々には年配の方々もいたが、大半は、この先どうなることかは知らないが年も近いからとりあえず応援も兼ね、引き取ってくれた友人達だった。二十数年前のそんなつながりもいつしかフェイドアウトしていったが、今回の展覧会をきっかけに再び話をするようになったことにも、ふと「絵」の一面を考える。
六、七歳の頃から五十歳を過ぎるまでの作品が一つの建物内に時間軸に沿って並ぶ機会は、それら絵同士の初めての大同窓会ともいえ、些細な出来事の中にも人間関係の変化を感じる。
当時の友人との会話は、まず事務的な話から始まり、近況報告に及び、そして二十数年前、絵を通して出会った頃に至る。そんなやり取りになるあたりから、先方は「大竹君ってさあ……」といった口調になる。

そんな中、二、三人に指摘され、ああそうだったなと思ったことの一つに自分の口癖があった。

「大竹君ってさあ、なんかいつも怒っている感じだったよね。でさ、必ず話の最後に『蹴り入れる』とか付け加えるのよ。いつもこっちは『蹴り』って誰に？　何に？ってよくわからなかった。それはすごく印象に残っているけど、やっぱ今でもよくわかんない」

そんな内容のことを違う相手から立て続けに言われた。一瞬とてつもなく恥ずかしく、またドキリとしたが、当時の情景を思い浮かべてみると、確かにその「蹴りを入れる」というフレーズを連発していたのを思い出した。

その頃からずっと、宇和島の家とは別に東京に小部屋を借りっ放しにしている。その家に向かう路面には路面表示用の白い塗装材がこぼれ落ちたであろう一角がある。その形がエレキギターのフェンダー・ストラトキャスターのボディー形に似ていたというどうでもいい記憶がなぜか強烈に残り続け、友達から「蹴り」話を聞くうち、久しぶりにその「白いストラト」の形がクッキリ頭に浮んだ。部屋へ酔い戻る帰路など、その形が足元の視界をよぎる時、なぜかブツブツ「蹴り」フレーズが口をついて出てきたことを思い出した。

自分にとっての「絵における蹴り」とは一体何を指していたんだろう、ニューヨークでタグ付キャップに感じた「蹴り」とは実際どんな形だったのか？

描いても描いても「芸術」が思い描く方向とはかけ離れて行き、頭で考え冷ややかに語り合う風潮に染まっていくまわりの空気を断ち切る唯一の自己防衛の手段が、友人や路上に向かって吐くその「蹴り」だったのかもしれない。結局は自分自身に向って言っていたのだ。

今でも東京部屋への帰路、気がつくと路上に悪態をついている。年を考えろと言われるどうしようもない悪態の数々である。かつてあった路上の「白いストラト」の位置もハッキリと覚えている。そんなことに何の意味もないことはあの頃も今も重々承知だ。でも結局そこに行き着く。

スカッとカッコよくタグ付キャップのごとく「蹴り」を入れる、それはあの頃同様に至難の業だ。

二〇〇六年九月

豚汁と絵とセントバーナード

「作品の設置はあと何点残っているんですか？」「エーだいたい三百点くらいですかね、かな？　……アレ？」「三百点？　明日オープニングですよ、ナニ三百？　間に合うんスかソレ？」「ンー、上の階の一室に展示する小さな作品二百点が先ほど着いたばかりで……連絡なかったし、マ、大竹さん、焦ってもしょうがないですかね、ココまで来たら……」「どうすんの？　……コレ絶対間に合わないよ。あと三百点でしょ？　とにかく今から必死こいて設置するしか……」

そう言いかけた途端、目の前の美術運搬業者はクルリきびすを返し、無表情に会場奥に立ち去った。

自分が立つ場所は駐車場ほどダダっ広く殺風景なオフィス・ルームのような場所だ。地下室らしい。そのフロアと地上階を使った大規模な展覧会が明日始まろうとしていた。この何週間かでかなり設置を終えたと思っていたので、業者の発言にひどく面喰らった。

見渡すと水色のユニフォームに身を包んだ作業員二十名余りが壁に立て掛けられた未開梱の作品周りに散らばり、取り付け金具や設置道具を手に話し合っている。が、誰ひとり慌てた様子はない。余裕で談笑中だ。釘打ちの音も聞こえず静まり返り、そのユルくアンビエントな雰囲気がさらに不安をあおる。

リーダー格の男に駆け寄り「どうなってるの？　ついさっき二百点着いたってあのオッサン言ってたけど、それって間に合うの？　明日よ明日、始まるのは、待った無しよ、明日午後三時！」と問い詰めた。だが、男はニヤニヤヘラヘラ、こちらの思いを受け止めているのかいないのか、要領を得ず視線を泳がす。「どうなるんスかねえ、まあ大竹さんもそうカッカしないで、なるようになるでしょ、なるようにしかなりませんよ。ジャ、ちょっと一服行ってきます」と仲間を目で促し、白塗りの重そうな鉄のドアを開け、隣の部屋へと去った。その態度にいいかげん我慢の限界を超え、キッチリ話そうと後に続いた。そこは茶色いタイル貼りの巨大な浴槽のある従業員用の風呂場だった。

既に業者は頭にタオルを乗せリラックスして湯舟に浸かっている。エコーかかる鼻歌、桶の音が響く。湯気の中に浮かび上がるまばらな人影の中、白タオルを手にした全裸のリーダーを見つけた。彼はサッと振り向くと、もう勘弁してくれといった表情を浮かべ、ニヤついたまま逃げるようにザップリ頭から湯舟に飛び込んだ。こちらはザッパリ、ズブ濡れ状態。こりゃあダメかもしれない……。

四日前、遂に「全景　1955―2006」展がオープンした。前日の内覧会には八百人あまりのさまざまな分野の人々が駆けつけてくれた。冒頭はその内覧会の夜に見た悪夢だ。

実際には、美術館全フロアに二千点強を設置するという前例のない作業に、美術館をはじめ、思いある関係者やスタッフ、美術運搬／設置業者の方々に日々誠意あるご協力をいただき、なんとかオープニングに漕ぎ着けられた。設置完了と同時に、今まで自分が周囲にかけてきたさまざまな迷惑とワガママに対する集団リベンジを、作業中はあまり見なかった夢の中、ピンポイントのタイミングで受けたのだろう、いや恐ろしい……。

夢ではなく実際に展覧会は無事始まったことは事実だが、準備に三年弱、美術館の最終設置に五週間関わっていたためか、頭の切り替えが伴わず、実感がない。始まってしまえば呆気ないもので、新たな日常に慌ただしく吸い込まれていく。

展覧会初日の昼下がり、始まったばかりの会場に一人で行ってみた。正面から美術館の屋上を仰ぎ見ると、確かにネオン作品「宇和島駅」が立ち上がっていた。真っ青な空にクッキリ浮かぶその赤い四文字に、夢ではなく本当に「全景展」が始まったことを感じた。

入口アプローチの石段を昇ると、左手に一組の若いカップルが地べたに座り、箸で何かを食べていた。インスタント豚汁だった。シブい場所でシブいモノを食っているなと感心した。既に展覧会を観てきた後らしく、手荷物にまじり「全景展会場マップ」が広げられ、仲良く愉快そうに話し合っている。そんな雰囲気と豚汁に引き付けられ、彼らの隣に座り、直接感想を聞いてみたくなった。

こちらに気づくと少し驚いた様子だったが、興奮気味に一気に話し始め「生涯最高でした！」と言いきってくれた。なんでもこの展覧会が正式に決まった二年半前から初日に狙いを付けていたらしく、前日から寝袋持参の二十二時間待ちで「全景展一番乗り」を決めたカップルだった。彼らの他にも二十人くらいの若者がドアが開くのを待っていたらしく、それを聞けただけでも展覧会を実現できてよかったと思った。

二十七の時、初めて個展を開いた時から、常に自分より年下の世代が応援してきてくれたことをあらためて思い出した。世の中からどんな批判を浴びようと、壁の厚さに跳ね返されようと、「黙って次を作れ」と自分を奮い立たせてくれたのは、いつもそんな若者たちの気持ちや熱い思いだった。

内外を問わず機会あるごとにさまざまな展覧会を観てきた。「自分はそれらの展覧会に何を求めてきたのか？　何故にその展覧会に行こうと思ったのか？」。目の前の若者を見ながらそんなことを漠然と考えた。

　自分自身は、単純に絵が好きでこの世界に入り、絵が観たくて展覧会に行き始めた。他に理由はない。美術館や画廊に足を踏み入れた時、乾燥した油絵具の匂いが鼻をつくと同時に前方の絵が視界に入る瞬間は、心の中に何とも言えない透明な興奮がいまだに立ち上がる。単に色や線、マチエールに反応する心の動きが好きだ。

　そんな「絵と人との関係」はいつしか「作品とコンセプトとの関係」の下に軽んじられていったようにも感じる。「そう言えば理屈が先行する作品には昔からあまり興味がなかったなあ、絵を観て考えるより感じる事が好きだったなあ……」。若者と話をしながらそんなことを思っていた。より元気になりたかったからではないか？　単純に絵から何かしらポジティブな力を受け取りたかったからではないか？　美術の本質はそんな極限にシンプルなことではなかったのか？

　入口で若者と別れて館内に入り、展示会場上から下までザっと歩いた。巨大な吹き抜けのあるフロアに設置した高さ七メートルの自由の女神像脇に腰かけボーっとしていると、小学校低学年らしき男の子がポストカードを手に近づいてきた。それは、十代の頃の作品部屋に掛かる、僕が小学校四、五年の頃鉛筆で描いた「セントバーナード」のカードだった。

「すいません……サインしてくださいい」と恥ずかしそうにその子が言った。

「絵が好きなの？」と裏にジャリおじさんを描いた。男の子は緊張から解放されたかの笑顔で、「ぼく、将来画家になりたいんです」と言った。それを聞き、初めてこの展覧会をやってよかったと素直に思えた。

二〇〇六年十月

赤い理不尽

現在、東京都現代美術館で「全景　1955－2006」展が開催中だ。期間、規模ともに経験したことのない個展であり、それに伴うイヴェントが続いている。通常の個展であれば、設置しオープニングが終了すれば作品制作場所である四国の宇和島に帰るのだが、久々の長期東京滞在だ。

オープン後の美術館からの帰路、館屋上に設置した「宇和島駅」ネオン作品がなにげなく視界に入る瞬間に感じる居場所のなさはどこからやってくるのだろう。

懐かしくもあり、また愛おしくも感じられるのだが、同時に、実は人に居場所などもともとないのだ、それを探すのがお前の毎日というやつではないのかといったふてぶてしい声が煌々と輝く赤いネオン光の裏から聴こえてくる。

イヴェントは対談、レクチャー、ギャラリーツアー、ワークショップといった内容で、それらの締めは参加していただいた人々からの質問コーナーになる。「一日のスケジュールは?」「影響を受けた作家について」「画家を目指した若い時期のプレッシャー解消法は？」「スクラップブックに貼り込む素材はどのように収集するのか？」「寝てるのか？」「食べているのか？」「好きな色は？」「好きなお笑い芸人は？」。できる限り正直にお答えするようにはしているが、その中でよく聞かれ、その度ごとに即答しかねる質問がある。

「あなたにとって、長期にわたり膨大な数の作品制作に駆り立てるのは一体何ですか？」

今回の展覧会は六、七歳から五十一歳まで、約二千点の作品を美術館三層に時系列で展示していることからか、決して短いとは言えない期間と作品数との関係が気になる人が多い。二千点といった作品数は個展規模としては確かに多いが、作家、画家を名のり五十くらいまでやっていれば、それほど驚く数ではないと思うし基本だと思っている。質問に対し、そんなふうに正直な気持ちで答えるが、厄介なのは「一体何ですか」の「何」だ。

「制作衝動の根源」と受け取っているが、一言で言いきるのは難しい。何度か同類の質問が出るので考えてはみるが、なかなか納得のいく言葉に行き着かない。「怒りのようなもの……」。以前そんなことをエッセイに書いたが、十分言いえているとも思えない。

「理不尽」という単語が頭に浮かぶ。

結局「何ですか?」「こうですよ」といったことではない。道理のない動機を言葉で捕らえようとすると、途端に頭の中の言葉が散りはじめる。言ってみれば頭上に漂い続ける道理のない何かが自分にとって制作衝動に大きく関係しているらしい。日常の中で感じる太刀打ちのできない「理不尽な力」、それに流されないためには理不尽な何かを持って作品制作をしていく以外にない。そこに道理は見当たらない。人の感情や意図、また誰かの意志とも異なる何か、誰の頭上にもあり続ける名付けえぬ曖昧な透明雲、自分が感知するその雲に押しつぶされないよう、そいつに吹き飛ばされぬようバランスを保つ唯一の方法、それが自分にとってモノを創り続けることなのではないか?

抜けるような青空を思い浮かべる。その中空でゆっくりノラリクラリ形を変え続ける巨大アメーバに似た透明な雲のイメージ、こいつが自分の思い描く理不尽というやつなのかもしれないと思った。おそらくこいつが問いの確信を握る答えなんだろう。

モノを作り続ける動機は人それぞれだ。納得する明確な論理、自分が選び取るオリジナルな素材、あらゆる角度からの疑問を跳ね返す確固たる動機、それらが巧みに交差する地点で作品制作をするのも一つの方法だ。「理不尽さ」を極力取り除いた世界……自分とは対極にあるそんな方法論のほうが現代美術の世界では馴染み深い点が自分にとっての理不尽と重なる。その現状がいつも割り切れない。小数点以下の「余り……」が心に残る。残ってはいけないのか？

自分のいる場所、取り巻く日常、意志や感情、思い、これまでの経験、それら一つ一つを制作動機と照らし合わせて考えていけば理は通る。しかしそれらが絡み合う日常に身を置き、そこに流れる時間に制作が重なり出すと、いつもゆっくりと透明な「理不尽アメーバ」がポコンと浮上する。かなり手強い。道理が簡単に砕け散る。アメーバ雲を通して見上げる青空は微妙に屈折した色彩をグニョグニョと投げかける。

道理のない透明な雲、意識し考え出すと、その雲はそれを素早く感知しスーッと上昇して、またユラユラグニョグニョと動き出す。

初めて「理不尽さ」を感じたのはいつだったか。記憶にあるのは、高校を卒業して約一年間を過ごした北海道別海町の牧場で三カ月ほど経った頃だった。

真夏のある日、仕事に区切りがつき、牧草の丘を越えて近くの沼に続く森を歩いていた。周囲数キロ四方に牛以外人類はいない感覚が心地良かった。森が途切れた小高い丘の先、一キロあまり前方の濃い緑に一点、とてつもなく鮮やかな「赤」を見つけた。それはプラスチックのカケラの表面を思わせるとても人工的な赤だった。目が眩む思いがした。

「？」その一点に向ってひたすら歩いた。興奮していた。近距離からその赤を確かめるべく、距離を詰めていった。

「赤」はなぜか一部だけ極端に紅葉したカラスウリに似た植物の葉だった。奥まった針葉樹に絡み付いたツル草の茎から一枚だけ手前に飛び出していた。

それを認識した瞬間、ひどくがっかりした。それは確かに美しい赤には違いなかったが、見つけた時の光り輝く赤には到底およばぬ色だった。新発見につながるような、大自然の中の得体知れずの人工物のような、もっと特別な何かであって欲しかった。

画家への入口としてやってきた牧場で、どんどん目的から離れていくような日常の中に、不意に現れた特別な赤に呆気なく裏切られ、森に失笑された気分になった。自分がとてつもないアホに思え、やり場のない理不尽な気持ちを覚えた。

その「裏切りの赤」は三十年の年月を経て、「理不尽な創造の赤」として心の中に輝き始めている。

二〇〇六年十一月

青い理不尽

昨年末、準備に約三年を費やした「全景　1955―2006」展が無事終了した。会期終了が近づくにつれ来場者も増え、最終的に五万五千人以上の方々に来ていただいた。

この数字自体はさまざまな分野においては小さなものなのだろうが、一万の数字が本当に遠い自分の立ち位置からみると、とんでもない数に思えた。本当にありがたいことだと素直に思う。初めての個展から二十五年間、いろいろなところで関わりを持ち、気にかけていただいていた多くの人々の気持ちの結果だと大きな希望を受け取ることができた。

美術館全フロア使用という規模、二カ月半の開期での個展は初めてのことだったが、あれほど大勢の、また幅広い年齢層、さまざまな国の人々を、最終日の会場で一堂に目撃するのも初めてだった。許されるのであれば会期をあと一日、いや半年間くらい延長して作品を掛け替え続け、どこまでやれるのか試してみたい、そんな思いの残る年末だった。

次から次へと予期せぬ出来事が起きた準備中の三年間、心の片隅でいつも覚悟していた事がある。特別なことではまったくない。とにかくやり切ろう、どんなことがあっても乗り切ろう、そう思っていた。

物事は進行途中が一番面白いといったことを様々な分野で耳にする。その通りだとも思う。しかしあまり長丁場だと、結論をはやる気持ちも起きる。進行中、予期せぬ展開に振り回されないこと、これは簡単なようでなかなか難しい。日々変化する流れの中、初心を通して現実に結びつけ、結果を出すこと、その手強さを強く感じた三年だった。それは決して一人ではまた意志だけでは到底成し得ない。

展覧会オープン後、どんな理由であれ少しでも後悔の念が生じれば、結果に何かしらの影響を及ぼすことになる。そこからまた、これまでのように首根っこを掴まれ理不尽な場所に連れて行かれる事になる。誰が何と言おうと、それがどんなに理に叶っていたとしても、今回それだけはどうしても嫌だった。その場所には何が何でも戻りたくなかった。一ミリでもいいから違う先の場所に行きたかった。

「東京」に巣食う魔物、とてつもない魑魅魍魎がいつの時代もゴーゴーと渦巻いている。八〇年代初期に初めて展覧会をした頃からずっと感じていることだ。

理屈を超えて人それぞれの方法でそれを断ち切らなければ、結局は「届かない場所」に否応なく連れ戻されることになる。どんなに労力を注ぎ込もうと、また本人がどれほどの思いを貫こうと、最後に東京上空から訪れる「オツカレ！」のひと声、あっけらかんと、どこからともなく発せられるこの四文字の一声にクイッとやられる。シュポッ！ とメタリックな穴に吸い込まれる感じ、あの飛行機内の水洗トイレのように、カーッという乾いた空気音が大きくなったかと思った途端、シューッシュポッ！ とあっけなく消え去る感じ。

一瞬スガスガしい「オツカレ！」カックンパワー／東京編、それはとてつもなく手強い。なんやかんやわけのわからぬ場所に持っていかれ、あとは何も起きなかったかのような、しなかったかのような、できなかったような、そんな時空に吸い込まれて行く。東京の空、あれは乾いた音を発する日本特有のブラックホールに違いない。「何もやらないのが得策だったね」とシュポッと連れ去る理不尽が東京上空にはいる。

不意の「オツカレ！」四文字が鳴り響いた時、どこに自分が立っているのか。シュポッ！ と消えるのか、それとも予期せぬパイプ詰まりが発生し、どこからともなく添員が飛んでくるのか、それは終了の時が来なければわからない。展覧会の結果や評価といったことではない。「イヨッ、オツカレ！」の後、自分の心根がどこへ向かうのか。

「全景」展と時期が重なるようにもうひとつの展覧会がスタートした。瀬戸内海に位置する直島で春まで開催される「直島スタンダード2」と題されたグループ展だ。年末年始のインターバルをはさみ、第一期／第二期の開催期間中、十二人の作家が島に点在する民家や廃屋、土地を使って制作した作品が並ぶ。手法や場所はそれぞれに一任され、特に共通するテーマはない。僕自身は以前実際に開業していた木造二階建て「元歯科医院家屋」という場所を与えられ、建物内外に手を加えて丸ごと作品化することになった。

グループ展参加が決まった昨年春、初めてその家に足を踏み入れた日の帰路、宇和島に向かう列車からボーッと風景を眺めていた。流れ去る風景の中、二十年以上つけ続けている「夢日記」のことが頭に浮かんできた。

つい二時間前に見た元歯科医の廃屋壁に残されていた子供の落書き、剝き出しになり崩れかけた壁のことを考えながら車窓を見ているうち、「夢」のイメージに続き、「船」がその空間にスーッと入り込んで来た。廃屋内に作品を掛けるといったことではない。空間全体を「夢」と「船」に同化させていくこと、それは大きく二つの空間になること、そんなことが漠然と頭に浮かんでいた。

その日からの半年間、「全景」展準備の合間、定期的に直島に通い断続的に制作を進めた。作業最終段階、完成図が見え始めた昨年夏、大きく様変わりした元歯医者の空間で一休みしつつ、家屋天井を眺めていた。その時点で「全景」展出品予定だった作品「女神の自由」（高さ約七メートル、重量約二トン）の横顔が壁の上方に浮かんだ。それが「女神の自由」移動計画の発端だった。

その場所に「女神像」が設置されることで、それまで頭の中にあった「夢」のイメージがストンと着地するかもしれない……そう思った。

こうして当初新潟の貸しビデオ屋の入口脇に設置されていた「自由の女神」像は、宇和島での十年近い紆余曲折を経てその運命が動き始めた。半年間の修復後、「女神の自由」と名前をかえた作品として「全景」展吹き抜け会場に設置され、最終的に瀬戸内海の直島の元歯医者家屋を終の住処とすることになった。「女神」としてはかなり迷惑な話には違いないが、なかなかない神様の宿縁とも言える。

「全景」展終了の二日後、直島にいた。「女神の自由」像移動の打ち合わせが既に始まっていた。

もうすぐ「女神の自由」像は、元歯科医院家屋一番奥の床抜き部屋に、彼女の掲げる松明の長さ分、屋根全体を持ち上げた状態で設置される。

まず屋根をスッポリ取り外し、その後はクレーン車で女神を垂直に釣り上げる。「女神」を怒らせないよう、あとは事が上手く終了するのを祈るのみだ。ところで建物の柱は大丈夫なんだろうか?

この三年、自分にとって一番の衝撃はこのデカい女神の顚末だったことは間違いない。

二〇〇七年一月

ナニモナイ地平線

北海道東部の別海町に行ってきた。

その地には三十数年前に働いていた乳牛専用の牧場がある。昨年の秋、その敷地内に牧場主と隣の長老が建てたサイロ小屋で小さな展覧会をやらせていただいた。今回は終了後の挨拶、後片付けを兼ねての八カ月ぶりの再訪だった。

到着した中標津空港前は一面の雪景色、まだ冬の風が吹いていた。

早朝、四国の南端に咲く満開寸前の桜を眺めつつ家を後にし、昼過ぎには道東の雪の原野に自分がいること、その二点の縁ある距離感に日本を思った。

二日目の朝、空を見上げると雲はあるものの前日とは打って変わって青空が広がっていた。

展示片付けを始める前、入口のテラスで原野を眺めていると強めの日差しが照り出した。

別海の不意な日差しにかつて見たロンドンでの光景が浮かんだ。

寝転び青を背景に素早く流れる雲を目で追ううち、いつのまにか寝てしまった。部屋の中、白っぽい柄のワンピース姿の見知らぬ女性とテーブルを挟んで会話するだけの短い夢を見た気がした。カラス、白鳥、野鳥のさえずり、そして耳元で鳴る風の音で我に返った。ほんの三十分ほどのことだ。

目をつむったまま瞼裏の色と模様を追った。高校を出てここで働いていた頃、夏草作業をさぼって納屋で眠ってしまった午後を思い出していた。

当時、すでに使わなくなっていた木造牛舎の二階は、冬を越すための夏草用倉庫になっていて、大きめのサイズ箱に圧縮された夏草が幾段にも積まれていた。そこは雀のたまり場でもあり、雑に積まれた草ブロックの隙間に寝そべりよくスケッチした。

季節こそ違え、その真夏の午後にも同じ風音と鳥のさえずりを感じ、汗まみれで眠りから覚めたのだった。かつて、身にしみた言葉にならない頼りなげな幸福感は、夏草の匂いと共に今でも身体の中にかすかにまだ残っていた。

当時と変わらない原野に吹く風の中で、長らく記憶から消えていたさまざまな光景が鮮明に浮かんでは遠のいた。上空に浮遊する意識から当時の牧場の赤い屋根を眺めているような気分になった。通り過ぎる風と自分の身体との境界線が消えていった。北海道にいると、どこであれふとそんな瞬間が内側に流れ込む。

季節により気温や匂い、音が絡む微妙な違いは当然あるが、南の地で普段感じることのない「記憶」の揺さぶりをかけられる思いがする。北の地で通り過ぎる「記憶」にはいつも時間軸が見当たらない。

日だまりの中にゴロンと寝転んでいるだけで、当時住んでいた家入口左の壁に白いペンキが塗られていたこと、玄関上の窓右から二枚目には斜め右から一本ヒビが入っていたこと、牛舎へ向かう土道左手には木の電信柱が二本立ち、電線がやけにたわんでいたこと、牛舎上部の左の窓は枠ごとなかったこと、穴の空いた牛舎天井から差し込む光の中を飛び回る雀、ツンと鼻をつく牛の尿とサイレージ（飼料）の入り交じる匂いなど、すべて消え去ってしまったディテイル映像が浮かんでは消えた。

いきなり目を開けると、ブルーのフィルター越しに全世界が一本の地平線となって飛び込んできたようでクラッときた。透明の青味掛かる原野の光景が網膜底にゆっくり沈殿しながら何もない時間の中に放り込まれていた。

一週間ぶりに戻った宇和島にはまだ桜が残っていた。別海の雪景色直後に目にする、川面の花びらに、一瞬で過ぎ去った時間を感じた。

今年の夏から年末にかけて福岡、広島と巡回展が始まる。

昨年東京での「全景展」では、特別なテーマを設けず二千点の作品を時系列に展示したが、夏からの巡回展では、作品を手法や主題ごとに分類し、展示の叶わなかった未発表作品を百数十点ほど組み込む。最終的に五百点ほどになると思うが、カタログを含め、そろそろ細々としたことを決めなければならない。

とりあえず早めに終えなければならないのは修復作業で、アトリエ内に作品を並べる段取りを考えると、つい億劫な気分になる。

予定が入るとまったく関わりのない事柄をやりたくなる。こんなことをしていていいのかといつも思うが、試験前に決まって関係のない事柄に集中していた学生時代とまったく変わらない。

修復の重要性は十分承知だが、過去に作ったものを引っ張りだして直すことは、新たな作品を作る気持ちと比較のしようがない。投げやりな態度ではないが、時間が逆戻りするようで気乗りがしない。

たとえ一本の線でも今までなかった新たな絵が目の前に現われることに、一番興奮する。

人とのやりとりが多くなると無性に絵の中に入り込みたくなる。やらなければいけない作業が切実になりつつある今、10号くらいの小さな絵を描く日々が始まった。

それらの絵を描くよりも、「やるべきこと」を優先させるべきなのはわかっているが、そんな日常の中で絵を描く気持ちにはまた独特な快感がある。

人がやるべきこととは一体なんなのだろう。そんなものはなにもないと誰かは言うだろう。

人がそれぞれの一生で「やるべきこと」、実はナニモナイことの裏返しなのかもしれないと時々思う。
絵を描きたいという気持ちが意味もなくスッと風のように心に浮かぶ瞬間。今も昔もその瞬間を一番信じる。絵は「やるべきこと」とは異質の場所にふいに浮かぶ。

二〇〇七年四月

誤解虫

この一年間は展覧会が続いたため、トークショーの機会が多かった。

これまでさまざまな分野の方々との対談、鼎談または進行役の人とのトークといろいろな形式でのトークショーを経験してきたが、結局一人が気が楽だと思うようになった。進行役もなくまったく一人だと話の内容がやたらと飛んだり、間が悪かったり保たなかったりと、聞いている方には何かと御迷惑をかけてしまうが、自分は素人なのだと開き直ってしまえば気を使うことも少なく、またそれなりの緊張感も生まれる。

スライド等画像や映像を使用する時は、あらかじめ話の内容をそれらの流れに沿って大まかに決めることが多いが、内容に縛られ展開に意外性が生まれない。そんなことを経験するうち、画像あるなしにかかわらず、決め事はなるべくない方が予想外のことも起こり楽しいと思うようになった。

その日に出会う人の顔を見て素直に思うことを話すこと、結局それしかない。うまくやろうと思った途端、逆の力が働く。失敗覚悟のカラッポ状態で流れに身を任すのがスリリングでもあり発見も多い。

自分はかなり話が飛ぶ方だと自覚しているが、飛び方にもいろいろある。体調具合で精神力の欠如から話の矛先を見失い、つい主旨が飛んでしまう場合もあるが、唐突に浮かぶいくつかの「単語」に便乗し、話があらぬ方向へ行ってしまった結果、「予期せぬ場所」に行きつくこともある。

聞いている方は戸惑った表情を浮かべるが、頭の中に現われる「単語」が明快であればあるほど、長年の「疑問」への核心ににじり寄る出来事であったりもする。無言でものを考えることと言葉を口に出しながら考えることには結構大きな違いがある。

昨年、美術関係者六人で話す機会があった。瀬戸内海に浮かぶ直島にある廃屋や民家を作品化するというプロジェクトに参加させていただき、そのオープニング・イヴエントに他の作家と共に呼ばれたのだ。

さまざまなテーマについての意見を一人ずつ手短かに話した後、気を抜いていると、制作に至るきっかけについて不意に話を振られた。順番からして予期せぬタイミング、少々慌て自分の拙い考えをわかりやすく言葉に置き換えようと頭の中でもがき始めた時、ふと「誤解」という単語が口をついて出た。

思いと言葉がズレたままその単語がポロッと頭上に落ちて来た。

何かを見た時、その反応が世間で言う「誤解」だったとしても、それが「感動」から生じたのなら、ひるむことなくそのまま暴走すると、結果的に自分にとって曖昧にあった予期せぬ域に接近してしまうことがある、そんなことを話した時だった。

話はそれから別の話題へと展開していったのだが、思いは、口をついてふと飛び出した「誤解」の瞬間でピタリと停止していた。

「誤解」を「間違って意味や事実を理解すること」とするなら、それは、「自分と作品」の関係にずっとあり続けた重要な尺度なのではないか、そう思えた。

「誤解」という単語が口をついて出た時、そこには変則的な動きを繰り返すバクテリア的なイメージを伴っていた。

そのイメージが特定のモノに出会う時、活発に伸び縮みしはじめ、それらを透明の体内に包み込む。そして体内に取り込まれた対象物が、芸術とつながる「誤解」なのか単なる「誤解」なのか瞬時に振り分けられ、二つの肛門のどちらかから吐き出される。

無数の誤解虫が今フワフワザワザワとトーク会場内を飛び回っている……そんな妄想に浸るうち、以前の「誤解」にまつわる出来事が浮かんだ。

十数年前、東京での個展の最中、裏通りをブラブラと歩いている時、前方一角にとてつもなく美しい絵画が一瞬視界を横切ったかの驚きを覚えた。今自分が見たものは一体何なんだと思った。

立ち止まりその方向を見ると十メートルばかり前方に小さなディスプレー・ウィンドウがあることに気づいた。視線の先にはとても美しいと思う絵がガラス越しに確かに見える。足早に近づくとそこは老舗風の小料理屋で、入口右手の百（縦）×八十（横）×三十（奥行き）センチくらいの飾りケースに反応していたことに気づいた。通常そのケース内に季節の花や絵、書を掛ける壁で、その日は模様替えの最中らしくすべて取り払い、ちょうどカラッポ状態になったものが偶然視界に入ったのだった。美しいと思ったものはガラス越しの単なる古びた紙の壁だった。

至近距離に覗く空ケース内の壁面は、かなり使い込まれていた。長年日光にさらされた壁全体は日に焼けて茶色く変色し、上部には雨水のしみ込んだ痕跡の薄茶色の輪郭がバームクーヘンの断面のように刻まれていた。それは見れば見るほど美しかった。磨かれたガラス越しに見ていることがかなり大きな効果を生んでいた。

同時に「カラッポ」を見ていることに足をすくわれた。それまで自分が探していたものをガラスの向こう側から突きつけられているような気持ちになった。

日焼けや雨染みの他、絵や書の額を取り付ける際の位置の目安を印した鉛筆による軽いマーク、無数の画鋲の穴、取り忘れ変色して剝がれかけたセロファンテープ、テープを剝がす際に一緒に剝がれてしまった毛羽立った壁紙跡、指紋、モノが当たってできた凹みや破れ、さまざまな「事故」が一枚の壁の上に起きていた。それぞれの

「事故」がそれぞれと深く関係しているように思えた。

意識的無意識的に起きた出来事の痕跡がケース内に密閉された記憶と絡まり合い、長い時間の堆積の突端である今、外部を通りかかった自分が気づいた途端、それらが一斉に蠢き始めた気がした。

誰も見向きもしない路上の一角に、「芸術」と遠い距離を保ったまま存在し続け、小料理屋の日常の一部として淡々と機能していること、そんなあり方すべてが素晴らしいと思った。そこには「誤解」と「矛盾」と「美」が当たり前に鎮座していた。大都市の一角の超微細なサイズのその空間内には、外部には絶対に漏れ出ることのない、とてつもなく繊細な音色が伝わってきた。

絵を描く上で自分が本当に学ばなくてはならないものすべてがそのケース内にあるように思えた。その情景をできるだけ丹念に頭に焼き付けて家に帰り、百×七十センチの紙に忠実に写し取った。その時の「誤解」は「ストロボ・シリーズ」という連作になることで一旦落ちついたが、その後も「誤解虫」は心の中に巣食ったままだ。

二〇〇七年十一月

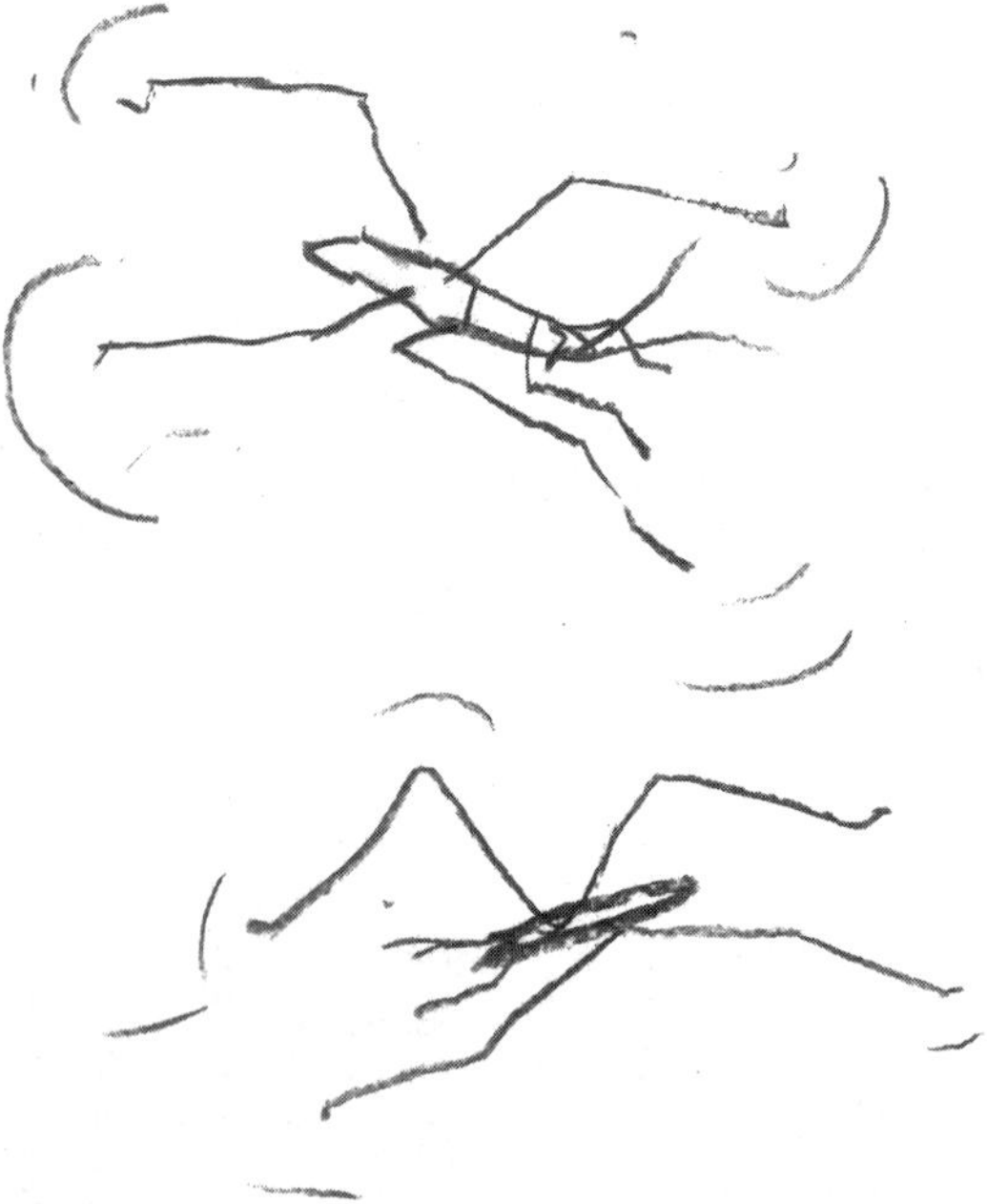

見えない絵

昨年十一月、北海道野付郡別海町を訪れ、その地の高校美術部とワークショップを行なった。

企画が決まった昨春からテーマを考えていたが、最終的に「目隠しコラージュ」をやることにした。最初から完成まで一切画面を見ずにコラージュ作品を作る試みだった。

今まで何度か機会のあったワークショップでは、参加者がチラシや不要雑誌等の印刷物を持ち寄り、制限時間内に本を制作することを経験していた。

今回は高校生対象ということもあり、もう少し踏み込んだことができないか、この機会にこれまで自分自身が疑問に思ってきた要素をワークショップに生かす方法はないか、考えていた。自分が別海の牧場で働いていたのが高校を卒業した頃だったこともあり、美術室にいると、その地に生まれ暮らす同じ年頃の若者に混じり、かつての自分も一緒に座っているように感じた。

通常、絵は見て描くものだ。普段そんなことは考えない。当たり前だからだ。

自分も絵を始めた頃は、特に「対象をよく見ろ」と口やかましく言われた記憶がある。実際に絵を描き始めると、構図をよく「見る」こと、また対象や絵から時々離れて絵を進めていくことは当然のこととして語られる。

「見ないと絵はできないのか？」そんな疑問がずっとあった。

その一つの疑問から、見ないで描いたものは絵ではないのか？　人が「見ること」はそんなに信用できるのか？　人は何をもって絵とするのか？　といった具合にさまざまな思いが頭の中をめぐり始めた。

ワークショップで美術部の生徒たちに挑戦してもらったのは「貼る」ことだけに専念する「コラージュ」制作だ。

各自不要な印刷物を持ち寄り、「見て」、それぞれの基準で選んだコラージュ素材を用意した複数の箱の中に入れ、その時点から絵の完成までの二日間、のべ三時間あまり目隠しをしてA2大サイズの絵を制作してもらった。

自分が見て切り取った素材も、目隠し後は当然裏か表か、また色味も一切わからない。あとは指先だけを頼りに判断しつつ、各自「裏面」だと判断した部分に木工用ボンドをつけて作業を進めることになる。

目隠しをして教室に座る生徒を見ていたら、なぜか「音」という言葉が浮かんできた。その一文字に本書タイトルの「見えない音、聴こえない絵」という言葉が絡み付いた。

目の前の彼らは今「見えない音」を頼りに「聴こえない絵」の制作に取りかかろうとしている、そう感じた。その光景は確かに「音的」だった。

ワークショップの内容は、生徒たちには事前に一切知らせていなかった。予想ではこちらの要求にかなり戸惑い、作業もなかなか思うように進まないと思っていたが、生徒たちは興味を示しつつ楽しそうに目隠しのままかなりのペースで素材を画面に貼り込んでいった。

初日の目隠し作業開始から一時間もすると、ペースの早い生徒の画面は印刷物素材で埋まり始めた。彼らの様子を観察しているうち、ただ闇雲に貼り込むのではなく、「見ないで貼る」姿に共通する「秩序」のようなものを感じ始めた。もしかしたら何かが出てくるかもしれないと思った。

一九七〇年前後のことだと思う。高校の頃見たアメリカの雑誌「ＬＩＦＥ」の中に、チンパンジーが描いた絵をめぐる特集記事を見た記憶がある。

特集扉ページには描かれた絵が大きく掲載され、記事を追うとそれがチンパンジーによる絵であることが経過写真と共に判明するといった記事だった。その絵を見た時、一瞬戸惑うと同時に「明確な強さ」を感じた。

絵は色鮮やかな抽象画で、安易に「動物の絵」だと決めつけることができない「勢い」による色と線が画面を覆っていた。これは「ナニカ」だと確信した。図版に目を通しただけで詳しい記事内容についての記憶はないが、芸術記事というよりは学者による実験記事的なものだった。

その時それ以上の興味を持たなかったのは、自分の中にどこか「絵は人が描くものだ」といった無意識の偏見フィルターがあったからだろう、大分時が経ってからそう思った。

この十年あまり、再びチンパンジーによる写真や絵画、象によるドラを使った音楽や絵画についての情報を目にすることが多い。

その中には色物的扱いのものも多いが、時折ゾッとするほど未知の領域に踏み込んだ絵や音に出会うことがある。何か他人事だとわりきれない思いが湧く。

数年前、偶然雑誌で全盲者による墨絵の特集記事に出会い、同時に「ＬＩＦＥ」の記事が頭に浮かんだ。

もちろん目の不自由な人の描く絵や書と、動物が描く絵が同等であるとか、絵など見ないで描こうがまったく関係ないといった乱暴なことを言いたいのでも、また目隠しによるコラージュ作品と動物による絵や音楽が同じ範疇に属するものであるといったことを言いたいのでもまったくない。むしろ一見無関係だと決めつける偏見の中に、逆説的につながる「ナニカ」の気配についての思いだ。

「人がモノを見て絵を制作すること」とは一体何なのか？　無条件に信じ込む「見ること」と「絵」の間には何が横たわるのか？

漠然と自分の中にあり続ける絵に対する思いと、動物による制作物や全盲者による創作物との間には、「見る」ことと「見ないこと」の本質がある気がしている。

美術室でのワークショップの結果は予想を遥かに凌ぐものだった。

目からの情報が遮断され画面が「足し算的」に成らざるを得なかった結果、どの生徒の作品も「見える」ことによって入り込む様々な情報から解放されていた。

そこには「過剰」地帯に躊躇なく踏み込むことでしか起こりえない清々しい強度がすべての作品画面に浮き出ていた。中途半端に「見て」作られた絵より徹底的に「見ず」に完成したものの方が、やはり「ナニカ」に届く、予想が確信に近づいた思いがした。

二十年ほど前出版した夢日記を題材にした画集「ドリームス」のことが頭をよぎった。

画集制作中「瞼は夢を見る際のスクリーンなのではないか」そんなことがポッと頭に浮かんだ。

人が盲目的に信じ込む「見る」「見ない」という瞼一枚を境にした行為、開閉を繰り返す薄い皮膜の裏には、光源を不要とする夢世界の映像が毎夜投影されている。

二〇〇七年十二月

絵の中の更地

年明けの仕事場、壁に掛かったままの未完成油彩画キャンヴァス五点を眺めた。埋まっていない……昨年秋頃からそんな状態が気になっていた。結局年末までに壁の絵は一点も完成できず、描きかけのまま年を越した。壁を見ていると、「距離」を感じた。足元から壁までとはまったく異なる距離を絵の表面に感じた。

完成した絵を自室の壁に掛けることはないが、描きかけの油絵は絵具の乾燥に時間がかかるため、壁に掛けるか画面をこちらに向けたまま立てかける。

とりあえずそうすることが習慣となった。そうして常に乾き具合に時間差のある未完成の絵が数点並ぶ部屋で時間を過ごすことになる。

複数の絵を同時に進めるやり方は十代の頃から変わらない。その方が好奇心がそそられ予想外の方向から刺激を感じることができる。絵における足し算と引き算の法則は独特だ。絵具をのせることが大幅な後退になったり、衝動的に削り取ったことが大きな前進につながったりする。それは実際にやってみる以外予想がつかない。足したり引いたりに、唐突にかけ算や割り算が入り込む。

油絵具による絵の進行の目安は今も昔も室内の匂いだ。油彩画作業が日々展開している時は、室内はテレピン油の匂いが常に充満している。気を緩めると乾きかけの特有の微妙に生臭い匂いに変わり、怠けていると絵具が完全に乾き切り無臭状態となる。

無臭状態の仕事場は味気ない。ストップモーションの中、自分自身が足元からフェイドアウトしていくような、そんな手強い退屈がやんわりと忍び寄ってくる。

絵の作業が一段落した時やどうにも絵を描きたくない時は、机の上に見開き状態で出しっ放しになっている、常に進行中のスクラップブックに取りかかる。

絵を描きたくない気分の時は気分転換することが一番だといった考えはあまり信じていない。世間に通りのいい理屈はいつもウソ臭い言い訳であることが多い。

スクラップブック作業に規則はないが、印刷物を幾層か重ね貼りした後、不透明水彩や水性インクを塗ったり線を描き込む。

水性絵具は油絵具材に比べ無臭に近いが、理想はテレピン油の匂いが充満した室内にある絵やスクラップブックページが常に濡れたままの状態だ。その流れが止まらぬよう事を進めること、これが作業の基本にある。流れが止まると「事故」が起きない。自分にとっては作業上に起きる予期せぬ事故が新たな流れにつながることが多い。

展覧会が続き何日か家を空け仕事場に戻った時は、なんとか生乾きの生臭い匂いが消えないうちにテレピン臭充満状態に持っていくよう試みるが、いったん無臭と化した部屋が元の状態に戻るには時間を要する。「匂い」が流れにつながるためのタイミングがあるらしく、そう簡単にこちらの都合どおりにはならない。

そんな中、乾き切った未完の絵に囲まれる「無臭部屋の気分」が起きる瞬間もあり、それは一体どんな気分なのか言葉を探し始めるが、なかなか具体的な言葉に行き着かない。

無臭状態であっても、憂鬱、厄介といったネガティヴな感情の裏側にはモヤモヤとポジティヴな気配がかろうじて貼り付いている。気持ちのメリハリがはっきりする直前で、ネガ／ポジ感情が心の中でめまぐるしく入れ替わる。とどのつまり、作業を進めつつタイミングを待つしかない。

自分で選んだ好きな事を続けているわけだから、他人には、描きかけの絵に囲まれた空間での日常は、前向きでポジティヴな時間でしかないように映るが、いつも理想的に事は進まない。

苦痛や重圧といった大仰な感覚ではないが、どこからかこちらの力不足を突いてくる無言の視線をチラチラと浴びているような、微妙な電流のちぎれたケーブル突端が常に身体に押し付けられているような、そんな気分に追い込まれる。

自分にとって描きかけの絵に囲まれた無臭空間に身を置くことは、単純明快な快適さとはほど遠く、常に自分の情けなさを突きつけられるようなもどかしさを伴う。

絵が完成に近づいている感触とともに、不意に快感が通り過ぎることが稀にある。それがうまい具合に絵の進行具合と重なればいいが、つい調子にのって欲をかき、踏み込み過ぎることもしばしばあり、そんな時はデッドエンドを垣間見る。出来心の足し算からスタート前に連れ戻されることになる。

自分にとって絵の完成は、描き終わった時と一致しない。

進行中の絵が心の中でピタリと来ているが、今一つ足りない地点、その引き際が絵に大きく関係していることを、いつも失敗してから感じる。

そんな思いの中、心に「更地」が現れる。理不尽な余白の上に立つ感覚のようでもあり、手前の鉄条網越しに広がる地平線と空、石ころだらけの光景といったイメージだ。

作業終盤にポッと現われるそんな更地について、考えていると感じた時は絵を中断する。「更地」について考え出した時、既にその絵は姿を変えている。

理不尽な更地が、絵の完成地点にどのように作用するものなのか、その時点ではわからない。「考えない」結果、稀に絵が完成する出来事であらかじめうかがい知ることは不可能だ。

稀にうまくいく場合は、絵の引き際に現われる「更地／余白」が、完成後の時間と勝手に結びつく。作り手の意図を超え、先の時間にワープして絵が選び取る、入り込むべき場所に落ち着く。絶望的にひどい状態の描きかけの絵をしばらく放置した後、あるタイミングでふと見てみると、その絵が既に完成していたことに気づくことも多々ある。

そんな絵を見ると、絵自体が勝手にその先の時間につながっていたことを感じる。そして、制作者が作品のことを最も理解していると思い込むことの無意味さ、制作中の意図の無力さを思い知る。

絵の中の更地の彼方には、常に見えない音が鳴っている。

二〇〇八年一月

コラージュ球

このところスクラップブックの切り貼り作業の毎日だ。

一昨年、昨年と展覧会にスクラップブックの展示が続き、そのための修復作業に予想以上の時間を費やすことになり、新しいページに集中できなかった。

スクラップブックは一冊が終了しかかると次に取りかかることが多く、完成後に見返すということはあまりない。完成したスクラップブックは部屋の隅に積まれるか、専用本棚に放り込まれるかのどちらかで、これまで制作の順番やページ数など細かい点をきちんと把握したこともなかった。展覧会に向けての修復は、さまざまなことも含め初心を再確認させられる作業でもあった。

長年探し続けていることへの手がかりをつかんだ時の喜び、またそれが具体的に形として目の前に現われる興奮は他に変えがたい。これはどんな分野でも同じだろう。しかしそんな状態は長くは続かない。他との比較や検証を通して様々な角度から考え始め、興奮要素が徐々に消えていく。最初の興奮を無理に持続させようとすれば、次第に自分の行為に整合性をもたせるためのコンセプトを求め出す。

本来はここからがスタート地点なのだろうが、いつのまにか面白がることよりコンセプトを優先し始め失速する。

制作のもたらす興奮や喜びを維持し、作ったものへの検証を怠らず、より高い完成度に結びつけること、これは一つの理想だ。そうありたいものだと自分自身も思うが、容易く行き着ける境地ではない。

「興奮」がいつのまにか「つじつま合わせ」にすり替わることはよくある。答えは合っているがそれがどうした？　ということは往々にある。もちろん、興奮か整合性かは、人それぞれだ。

作った当人すら「わからない部分」が、実は興奮や面白いと思う気持ちと強くつながっている。自分自身はそんな風に感じているし、その部分を大切に思う。

本気でやり続けてどこまで「わからない」でいられるのか、そんな単純なことを初期のスクラップブックを三十年ぶりに見て改めて思った。結局、信じられるのは、今日の新しいページから次のわからない興奮が生まれることだ。

昨年末、修復や整理作業の先が見え出した頃からムラムラと新たな「貼欲」が頭をもたげていた。年明け、貼りたくて机上に積み重ねていた印刷物を一気に切り取った。「貼り」状態だけに集中する時は、いつもかなりの量の素材を切り抜いておく。切り取ることは作業に近いが、これを終えれば貼れるという寸止め感が独特な興奮をもたらす。この、仕込みに近い切り抜き作業完了間際が貼欲ピークの第一波ともいえる。

今回、貼り込み作業が進むにつれ作業部屋の身の回りにあるものすべてを貼ってしまいたい、そんな思いにかられた。「何でもいい」と言ってしまうと語弊があるが、結局何でもいいのだ。とにかく貼る、考えない、そこからページの景色を眺める。「貼らないより貼ったほうがいい」これは三十年来変わらぬスクラップ標語みたいなものだ。ダメだったら剥がせばいい。剥がした後の質感は貼らないと生まれない。

先日、試しにLPをジャケットごと数枚貼ってみた。思いが一つ実現した。棚には長年収集したかなりの枚数のアナログ盤が並んでいるが、昔から系統立ててコレクションする律儀な趣味がないので、頃合いをみて貼りたい思いをこの二、三年感じていた。

貼り込んだ瞬間、今まで感じたことのない手応えがあった。ジャケットを裏表二ページ分として組み込んだ途端「アナログ盤」という意識が消え去った。黒い塩ビ盤が生っぽい物体に見えた。ページとページの間の音を刻んだ黒く丸いモノという物質感がギュッと浮き出た。レコード棚からスクラップブックのページへと、本来の居場所を変えただけで、自分の認識はこれほどまで変わるものなのかと思った。コラージュとは居場所を変えることなのかもしれない、そんなことを初めて考えた。

現在進行中のスクラップブックは大型だ。一ページ、四十三センチ×二十七センチある。

それでもLPジャケットがページ小口から三センチばかりはみ出る。ページ上で異物同士が出会い、どうにもピタッと納まらない瞬間に妙な嬉しさが込み上げる。意味もなく、やはりLPは凄いと思う。CDも大分紙ジャケが一般化したが、スクラップブックにとってはLPが圧倒的に好ましいことがはっきりした。

娘が小学校の頃、大量にくれた「書き初め」の書き損じ半紙の束も出て来たので、LPに続き貼ってみた。これもかなりイケた。書き損じて墨が濡れたまま丸められて積まれる半紙の山を見た時、反射的にもっとどんどん書き損じろと思ったことにも納得がいった。高校生になったその娘に結果報告をしたいが、前後の貼り込みページにエロ写真が続くので躊躇している。

二十代前半、いつまで続くかわからないまま始めたスクラップブックをきっかけに、初めて「描く」ことと「貼る」ことが同じ意識の中に入ったことを覚えている。

それまで自分の中に別々にあった貼る、描くという手法が、初めて同線上に並んだように思えた。

中学校の頃、レコード屋でもらったポスターの切り貼りを背景にペン画を組み合わせたり、雑誌から切り抜いた写真を組み合わせて好きなレコード・ジャケットを作り直したりしたことを思い出した。それは絵を描くというより、余技的な遊びのようなものだったが、短時間にまた安直に一つの世界が立ち上がることに、白紙から描く絵にはない特別な驚きを覚えた。

「コラージュ」という言葉の意味は知らなかったが、他人の作った平らな世界を自分なりに並べ替えることで目の前に現われる光景には、子供なりのささやかな背徳意識や反抗心を満たす心地よい「わからなさ」があった。その意識自体が、アートと関係があるに違いない、そう思っていた。

もし自分自身がスクラップブックのページの中に居場所を移すことが可能なら、そこからこちら側の世界はどんな風に見えるのだろう。居場所を常に移動し続けること、そんなことがスクラップブックと関係があるのかもしれない。

自転し続ける地球が、一瞬、闇宇宙に浮かぶコラージュ球に思えた。

二〇〇八年二月

近景

日常と創造

未だここにないもの

先日、ふとテレビをつけるとワイドショーで芸能リポーターが市町村合併問題の番外編トピックス的な話をしていた。内容は、住民から募集し落選した変わり種合併市町村名といったようなことで、例として山梨県と四国の香川県を挙げていた。山梨で合併された地区は日本で初めての英語系カタカナによる市名として「南アルプス市」に決まり、また香川では東部が合併され「東かがわ市」に決定といった話を芸能ニュースのりで話していた。寝転んでそれらのやりとりを聞き流しながらカタカナやひらがなの地名は個人的にはどうもなあ……といった感想しかなかったが、落選した応募名として「ハッピー市」「ラブタウン市」「新センチメンタリズム市」「未来 town さぬき市」「ナポリ市」「ロマン市」が耳を通り過ぎた瞬間、思わず身を起こしてテレビ画面を見入った。単に数ある応募の中にあっただけなのか、最終選考まで残ったといったのかは聞き逃したが、えらく驚いた。再びガツンッと「日本景」が玄関から土足で乗り込んで来たように思え日本人もまだ捨てたもんじゃあない、と妙に感心し、また同時に言葉にし得ない複雑な思いが込み上げた。

「新センチメンタリズム市」……シー。それはまさに高齢化進む暴走族検問突破！の瞬間に思えた。「センチメンタル」を素通りし「センチメンタリズム」で一瞬立ち止まり、頭に「新」にて着地する点がどこか忍者的というか、この破壊しつくされた日本の奥深さであり、そこに好むと好まざるとにかかわらず連綿と続く日本国の磁場、日本人の血を感じた。救いようのない脱力感からはにかむようにニヤケたらいいのか、温泉とカラオケでかなり練り込まれないと決して訪れない発想なのか。脱臼するオリジナリティのようなものを認めざるを得ない気分に一気に追い込まれた。桜咲く頃入社式で出身地を問われ、すんなり「ハッピー市一丁目三番地！」と胸を張って言う日本人青年のういういしいスーツ姿が脳を直撃する。どうころんでも世の美意識から毛嫌いされる宿命を背負い、絶妙なる隙間からやるせなくもしみ出てしまう「謎の物体X」、そんな日の出づる国のカケラに何を言われようとやはり強いジパングの意志を見る。

一九九五年から九六年にかけて文芸誌の依頼で毎月、二年ほど日本のローカル地を巡り日本の風景を描いたことがある。連載をスタートするにあたり、全国津々浦々今や日常的な「日本景」である国道沿いのパチンコ屋やラブホテル、カラオケボックス立ち並ぶ風景を思い浮かべた。そしてそれまで見て見ぬふりをしてきた自分に何か突き付けられるものがあり、連載の依頼に対して非常に躊躇したのを憶えている。それらの風景に身を置いても絵にしたい気持ちがまったく起きないに違いないといった偏見に満ちた拒否反応だった。日本人として昭和の時代に生まれ、雅びとは対極にある日本景の中に育ち今暮らす立ち位置から、逃げることなくできるだけカラッポの状態で日本のローカルを眺めてみようと少しずつ思い始めた。否応なく立ちはだかるラブホテルやパチンコ屋をも日本景として描くこと、コンセプトとしてのモダンジャパンといったテーマに描くのではなく、沸き上がる衝動から描き続けることなど果たして可能なのか、考え始めたらまた元に戻る事になる……そんな思いで各地を回り始めた。最終的に、今日本を覆う各地の絶句景は、それまで自分の中になかった奇妙な場所を内に導き出し、それまでのものの見方、感じ方を根底から覆した。

以前『既にそこにあるもの』（ちくま文庫）という本の中で、自分にとっての制作とは、白紙／ゼロからの出発というよりは「既に目の前にあるもの」との出会いによる共同作業に近い、といったことを書いた。それは既に目の前にあるすべてのものに制作衝動を覚えるということではなく、稀にせよ予期せぬ場所やものとの出会いから立ち上がる衝動を指す。では自分とその予期せぬ場所との関係は一体何なのか、ローカルをテーマに続いた連載を終え、その後もその関係について考え続けた。

自宅へ至る、高台の神社脇に、水銀灯に挟まれ横並びに四、五台駐車できる古い車庫がある。鼠色のペンキで塗られたシャッター上部は横長の金属製収納部でそれぞれの車幅で四、五十センチばかり飛び出ている。古びた乳白色のプラスチックカバーの蛍光灯が縦に一本中央に灯り、シャッター上にボーッと収納部の影を投げかけている。その古びたシャッターが視界に入る瞬間、蛍光灯と微妙に異なる収納部の段差がおりなす陰影の様にいつも見入り、次に作るべきものの核を眺めているような状態に陥る。「過去」と「今」と「未来」を同時に眺めているような、そんな気分になる。先日いつものようにそこを通り過ぎた時、「未だここにないもの」という言葉が突然頭に浮かび、それは「既にそこにあるもの」とピタリと対を成した。「既にそこにあるもの／未だここにないもの」、それらが「対」であったことに初めて気がついた。「既にそこにあるもの」に単純に制作衝動を覚えるのではなく、過去へ向かう線上の「既にそこにあるもの」と未来時間の中の「未だここにないもの」が「現在ここにいる自分」を通して連なる瞬間が「衝動」であるという認識が夜道を歩行中ジワジワと効いてきた。

この世には不可視に集積された無数の記憶、また過去から今に至る時間の上にさまざまなる「既にそこにあるもの」があり、またそれを感知しうる／しえない進行形の「今」があり、そして感知し衝動が起きたその瞬間、「未だここにないもの」に足を踏み入れる。

「既にそこにあるもの」と「未だここにないもの」の間に揺らぐ、記憶の闇と音を感じる。未だここにない「新センチメンタリズム市」はこの先のジパング時空に既にユラユラ漂っている。

二〇〇三年四月

骨まで愛して

火葬場での待ち時間、「愛」について考えた。喫茶コーナーのカウンターでコーヒーを飲みながら窓ガラス越しの庭に淡い陽光を受けて立つ観音像をボーッと眺めていた。するとまたあの質問が聞こえた。

その二日前、岡山市芸術祭プログラムの一環で始まった「ラブ・プラネット／愛の惑星」と題されたグループ展会場にいた。展示会場は岡山市内にある今年取り壊し予定の旧小学校内で、二、三人ずつに振り分けられたいくつかの教室内は出品者に合わせ建築家による設計のブースで区切られている。作品設置後、会場でいくつかの取材を受けた。「あなたにとって『愛』とは何ですか？」。幾人かの取材者は最後に必ずこう聞いてきた。うまく返答できず戸惑った。その一件が岡山を離れてからもずっと頭の片隅にこびり付いていた。頭の中のミラーボールが回り出し、その真下にマイクを手にした男が突然現われ昭和四十一年の城卓矢のヒット曲「骨まで愛して」（川内康範作詞、北原じゅん作曲）を絶唱する。

一生の前半に日々身を置く小学校の教室内で受けた「愛」に対する質問は、死して行きつく火葬場という最終地点の場所で煮えきらない答えを迫る。人は「レア」で生を受け、「ウェルダン」でこの世から消えていく、そんなことをいつも火葬場で思う。いやでも太陽光にさらされ続ける人の一生は「ミディアムレア期」といったところか。殺伐とした悪趣味な考えだが、そんなバカげた考えがいつも火葬場を一瞬通り過ぎる。

「愛」という文字から真っ先に浮かぶのは新宿歌舞伎町で目にするホストクラブの看板だ。ケバケバしいショッキング・ピンクと白色で構成された色面にかなりの数のホストの顔写真や源氏名が整然と並び、その中央にはスミ色の習字文字で大きく「愛」の一文字。取材ではそんなことを答えようかとも思ったがうまく伝わらないと感じて止めた。

「愛の惑星」と聞いて反射的に、そう書かれた看板で埋め尽くされた球体が宇宙を彷徨いながらクルクル回転する様がポッカリと思い浮かぶ。しかしそんな光景を絵に描こうという衝動は生まれない。ただそんなイメージが頭の中に浮かぶだけだ。面白いと思うイメージが興味深い創造物に変身することは極めて稀だ。唐突なイメージとそれを具体的な形に落とし込もうとする衝動、そのあいだにはそれらをつなぐもう一つの何かが起きなくてはならない。それは一体何なのか。

いろいろな国を歩くと、かならず反射的に引っ掛かる場所と出会う。イスタンブールやモロッコ、ナイロビといった街中では圧倒的にさまざまな店の看板が内側に入り込んできた。日本では店先の看板は看板屋さんに発注するのが常だが、それらの国では店主本人が描いたと思われる看板が結構目についた。店の名前など極力プロっぽく書こうとする意図が微妙にズレてしまったものが多く、国内のやけに律儀な常識に毒されたヤワな目からするとそんなズレた絵や文字が深く身に染みた。

宇和島の自宅近く、川沿いの個人住宅の垣根にいくつかの手書きの白いプレートが一定の間隔で細い針金で木に括られ、ぶら下がっている。プレートには、

ここへ駐車でき
ません3・5米
ないから

と三行に分け黒いペンキで書かれている。無断駐車でよほど困っているのだろう。駐車は困るという施主の長年の強い思いとその人物のバックグラウンドを醸し出す文字の形、また限られたプレート面積上で一生懸命書いたのだが三行目の「ないから」の後、微妙にアンバランスに空いてしまった白い余白。そのギクシャク感には当然当人も気がついているが書き直す気は毛頭ないとどこかで腹を括ったであろう、と施主に対する勝手な想像を促す空気感。そんな確固たる信念や主張などお構いなしに内なる思いの露呈する白いプレートがいつも川沿いの風に揺れている。ここには他国の店

先で見た数々の看板と共通する、心地よく想像力を威嚇する何かがある。

そんな場に出会うと反射的にスナップ写真を撮ってしまう。撮ろうかどうか一瞬でも迷うものは後々ほぼ絵にならないが、反射的に撮ってしまう写真は後で絵につながることが多い。

モロッコを訪れてから十年あまりが経つが、いまだにふとした拍子にこちらの想像力を刺激する空気が内に密閉されているのを感じる。十年も経てば当然最初に受けた刺激とは大分変化しているとは思うが、無意識に入り込む記憶というものは、すでに内に共通して在る記憶と結びつき新たな化学変化を引き起こす。そして体験した本人だけの特別な記憶の結晶と化す。反射的に反応する手書き看板には、文字や絵の中にその店主の長年の思いやら経験が無意識的に閉じ込められている。

日常で、不特定多数の他人に対して強い思いを記したプレートを作成するという特殊な場面において、「駐車禁止！」と書くだけで十分伝わるところを「ここへ駐車でき／ません3・5米／ないから」と書かざるをえない思い、そこには特定の個人に向けた濃厚な「思い」を感じる。「〜ないから」の締めには言葉上踏んぎりの悪さ、言い訳がましさが伝わる印象があるが、文字が乗るブッとしての白いプレートそのものがそれらの理屈を越えて、可笑しみある温度を伴う意志としてぶら下がる。

「ラブ・プラネット／愛の惑星」展には小さめの油彩画六点を出した。モチーフはすべていろいろな国で目にし反射的に反応した看板や印刷物、壁画といった平面イメージだ。考える以前の反応から生じた絵画を通して、衝動や行為を、展覧会テーマである「愛」に重ねた。わかっているつもりの「自分」と決して交差しえない内側の「何者か」がすれちがう瞬間に「愛」が関係しているように思えた。

展覧会フロアの一番端のバザー部屋に入った。市民から集めた不要品の数々が安値で売られていた。子供の頃からの「バザー会場」に対する興奮は一体何なのだろう。蚤の市とは異なるよりショボくペラペラな空気感。

入口近くに鼠色の事務用スチール棚が置かれ本が並んでいた。教室の窓から差し込む逆光に黒いシルエットで浮かび上がるレジのオバちゃんに値を聞くと本はすべて五十円だと言う。思いがけずウィリアム・バロウズの『裸のランチ』を見つけて五十円で購入し、オバちゃんの肩ごしの窓から今年中には取り壊される校庭を眺めた。

その中心に透明の「愛の惑星」がゆっくり回転しているような気がした。

二〇〇三年十二月

シャカシャカバンバン

夜中の十二時あたりか、酒場の一番奥の黒いビニール製のボックス席に男二人でいた。

うなぎの寝床式のその店内のボックス席はそこだけで、横のカウンターが入口まで伸び、店内には途切れることなく七〇年代の欧米のロックがかかっていた。僕たちのいる奥の席から一番離れた入口近くのカウンターに一人二人、その時間帯にしては店はいつもより空いていた。

突然五十がらみの短髪の男が一人、スーッとこちらに向って入って来て隣のカウンター端に腰掛けると差し出されたマイボトルからチビチビと焼酎を飲み始めた。バーテンは入口近くの客の注文なのかフライパンの上で肉を焼き始めジュージューという音、グランド・ファンク・レイルロード、ユーライア・ヒープ、ドアーズ、ジミヘンといった往年のロック・サウンドが入り乱れて店内に響く。相変わらずの風景だ。

突然の違和感、スーッと冷気が入り込んできた感じとでも言えばいいのか。

友人との会話、視線のやりとりが妙にズレた。原因はお互い耳にしている「音」だ。乾いた速めの生音、「シャカシャカシャカシャカ」といったどちらかというとパーカッシヴな感じの音だった。「シャカシャカシャカシャカ」と素早く続くかと思うと「シャッカシャッカ」とゆるくなりまた突然スピードを増すかなりイレギュラーなリズム音だ。店内に流れる曲調と稀に合うが一体感はない。突然始まった予定不調和音に意識は集中を失いはじめ、不可解な沈黙に突入した。どうも至近距離の男が発する生音であることはわかるのだが、首をねじ曲げてとなりを見るのもはばかられた。

チラリと透明の円柱形ケースが男のグラス脇に見えた。

歯を磨いている、そう確心した。

カウンター上で頬づえをつきながら一点を見つめかなり激しいスピードで「シャカシャカ」と歯磨きに集中している。店内の時間がピタリと停止した。

「ヤラレタ！」と思った後、どのように会話を再スタートしたらいいものか、今まで通り七〇年代ロックを聞きつつ酒を飲むことにどう戻ればいいものか、また隣り合わせた男同士はどのような態度が望ましいものか、店内の空気が一瞬でネジれてしまっていた。すべてが「わからなさ」に突っ込んでいった。

「シャカシャカ」は五分も続いただろうか、男は歯を磨きながらボックス席後方にあるトイレに入った。ドアは開けたままだ。それから口をすすぐ音、うがい音等が店内に漏れている。結構長い。シャカシャカの次に待っていたのは予想外のガラガラ音、かなり手強い。

男は爽やかな顔で出てくると丁寧に歯ブラシを透明円柱形ケースに納めカバンにしまい、再び焼酎を飲み始めた。圧勝である。すべてを見届けた後、もっとわからなくなっていた。とりあえず強烈に「ロック」という単語だけが心に浮かんだ。何がどうしてロックなのかなのではなく、「わからない」その果てに白地に筆文字で「ロック」と書かれた立て看板があった。

遠い日の出来事であったはずの「ロック」は、その後も日々自分の口の中で発していた「歯ブラシ音」にあり続けていたのか？

その音は二十五年前のパンク吹き荒れるロンドンの夕刻の出来事を引き寄せた。

トラファルガー広場の近くにお前が好きそうな、きったないアイリッシュ・パブがあると友達から言われ、ある夕刻、たまたまそばを通った時ふとそれを思い出した日のことだ。

教えられたパブに着くと開店五分前、店前の石壁にもたれ待つことにした。すると向こうから黒いコートに長めの白ヒゲ赤ら顔のジイさんが杖をついて片足を引きずるようにこちらにやって来てその入口に立った。おぼつかない足取り、無表情、腰も曲がりかけている。彼も早すぎたことに気づいたのか入口前でジッと不機嫌そうにドアが開くのを待っていた。

　開店の五時になりそろそろだと思っていたがドアは閉まったまま開く気配もない。休みではなさそうなのでとりあえず待とうと思った、その時だった。

　突然「バンッバンッバンッバンッ」と激しく何かを叩く音があたりに鳴り響いた。反射的にその方向を見ると先ほどの老人が大声で怒鳴りながら己の杖で木製のブ厚いパブのドアを必死に叩いているのが目に入った。杖をドアに叩きつけ、それだけでは気が収まらないのか四文字言葉混じりの罵声をわめき散らした。強烈な光景である。老人の態度には一点の迷いも容赦もない。バンバンバンバンこれでもかこれでもかとドアを壊して中に突入するがごとく叩きそして叫び続けた。そこまでするかとは一瞬思ったが、その姿を見ているうちに非常に真っ当な人間の姿を眺めているような気持ちになり、気がつくとただ感激している自分があった。

　五分くらい経った頃だろうか、店の人間らしき若者が走ってきて速やかにパブのドアを開けた。買い物か何かで遅れたのだろう。いったん火のついた筋金入りのジイさんの気持ちは開けたからといってそう簡単に収まるものではなかった。

「五時といったら五時だろこのタワケが！　ワシの人生五時にアルコールをグッといくことになっとるんじゃ！　このクサレが！　わかっとんのか大英帝国の規律という

もんを、ン？　飲むったら飲むんじゃワシャあ飲むんじゃ五時キッカリに！　ったくサッコンのクッサレパンクが‼」と言ったかどうかは不明だが、そのジイさんはしばらく怒りが治まらないままブツブツ言いながら店内に入っていった。少し間を置き自分も店に入ったが、そのジイさんはいつもの席であろう窓際に座り独り言にうなずきながら黒ビールを飲んでいた。その日の光景はその後、しばらく強烈な出来事として内にあり続けた。

その時も、店内でジイさんがビールを飲む姿を眺めながら「わからなさ」の荒野の果てに「パンク」と筆文字で書かれた立て看板に出会ったような、そんな心境になった。

当人が意識しようがしまいが深い部分にヒリヒリとくい込んできてしまう出来事がある。それはあまりに当たり前にまた呆気なく日常の断片として唐突に起きる。そんな時、小さな極彩色の虫類が心の奥底から数限りなくザワザワと這い出してくるような気持ちになり、ふと我に返った時には既に自分の核を根こそぎ鷲摑みにされてしまっている。

何を考えてみたところで結局確かな脈絡はどこにも見当たらず奇妙な形の音の塊が心の中に妙に居座り続ける。

深夜の歯磨きが呼び寄せた遠い昔の光景と音。

そこに貼り付く音はこれからも何かの拍子に脳味噌のヒダに突然鳴り響き、新たな記憶の底の風景を引きずり出すのだろう。

二〇〇四年三月

オジさんの瞳

先日、昼間切り忘れていたテレビの前を通り過ぎ、たまたま耳に入ってきた「洞窟オジさん」という言葉が気になった。とりあえずサワリだけと思い、その人の十分くらいの密着取材を観ることにした。こういう時には何かあるのだ。

最初はてっきりどこかの山を何十年掘り続けていたりする地方の名物じいさん的な人物だろう、こんなところにもこんなにユニークな人がいるんですねえ、そうですねホウといったやつに違いないと大した興味もなく空ろに画面を眺めていたが、話が進むにつれ、淡々と語る当事者の口調とその内容のとんでもなさの狭間に「因果雲」がゆっくりモクモクと立ち昇り出した。

昭和三十五年に家族の虐待に耐えきれず十三歳で家出して以来、一人で足尾鉱山の洞窟や新潟の山奥をヘビやカエル、コウモリ、魚等を食べつつ転々としながら暮らし「四十三年間」を過ごしてきたという五十七歳男の話、しかし、その「四十三年間」の五文字の裏側には想像を絶する日々がベッタリと貼り付いていた。番組ではわかりやすいように、との配慮からか「ホームレス」という言葉が使われていたが、番組が進むにつれ、そんな柔な言葉はすぐさまボキリと音をたてて折れて砕け散った。この平成の世にこんな人がまだいたのかといった思いは呆気なく通過、テレビ・モニターの中の本人の佇まいに名付けようのない未来的な静けさのようなものをしみじみと感じた。

「ゴ……ミ……？　ゴミ」。昼に近い朝、フトンの中でボーっとしていたらこんなことが頭に浮かんだ。再びフトンの中で、なんで「ゴミ」が浮かんだのか考えた。夢？……ぼんやりと少し前にたまたま観たその「洞窟オジさん」の顔が浮かんだ。

あの日の昼間のワイド・ショーがきっかけとなり、長年自分の中にあり続けていた「困ったオジさん」という一つのテーマが無意識のうちに炙り出たと思った。つまり「困ったオジさん」→「世の中の不要物」→「ゴミ」といった具合だ。

こう書くと「洞窟オジさん」をゴミ呼ばわりしているように取られるのかもしれないが、事はそう単純ではない。そのまったく逆のことが言いたいのだ。

ここで言わんとする「困ったオジさん」とは会社で部下にやたらオヤジギャグを連発するとか酒癖女癖が悪いとかいった類いのオジさん連中を指すのではまったくない。

あの日垣間見た「洞窟オジさん」のように宿命的な因果を背負い込んでいるとしか言いようのないもっと「漆黒の闇を背負う困ったオジさん」を指す。

世の中には「ゴミ同様の」等、わかりきったように暗黙のジャンルに押し込める言い回しが多々あるが、そんなフレーズほど何かを隠しているものだ。ゴミは深い。そしてゴミもオヤジ同様に誤解を招きやすい。どうにも潰しのきかないオヤジが蔓延するように、どうにもならないゴミが地上を埋め尽くす。しかしその中には世の中でまったく同じ様相を呈しつつも別次元の荒野を突き進んでいってしまうゴミやオヤジもある。理屈が通る、役に立つといった道筋からどう転んでもズレていってしまい、究極にウサン臭く本能的に毛嫌いされながら存在するものや出来事の中に、本質的な事柄は隠れているように、どうしても思える。

この地上には時折、遥か遠い昔、人類が失ってしまった「宇宙の律」を宿したまま生まれ落ちてしまう人間がいる。そんな因果律を抱える当人は常人には到底理解のつかない不条理な生の中に無条件に放り込まれる。当人すら理解できない堪え難き生を長きにわたり天から強制的に与えられ、結果的に生涯、積み重ねられた数々の理解しえない出来事にまったく判断がつかぬまま、この地上から消え去る運命を全うする。そしてそれらの人々は地上の理不尽なジャンル分けによりこの星の片隅にいつの時代も追いやられる。

特殊漫画家・根本敬氏はその昔「因果鉄道の夜」と言った。その果てが一体どのような光景なのか常人には計りしれない。おそらくその果ては、この星で男の極北に居続けることに耐えた「オヤジ」のみが歩む資格を与えられるのだろう。

十年ほど前、関西の若者から素っ気ない手紙と共に一本のビデオテープが送られて来た。そのテープはその後大学でのレクチャー等でよく使わせてもらったのだが、映っていた当事者というのが、気分が乗った時に自殺の名所で有名な福井県東尋坊にある高さ二十八メートルの崖から何度も海に飛び込み、また素手で這い上がるのを繰り返すことを日常の一部としている人物であった。飛び込む際に「ドリャー!!」と叫ぶことから、地元の人に「ドリャーおじさん」と呼ばれるその人は、当時四十代後半の豹柄の海パンを穿いた人の良さそうなまったく普通のオジさんで、番組では「先週の日曜日に二万回を達成しました」と控えめな笑顔で誇らしげに語っていた。そもそも何がきっかけでこの自殺の名所から飛び込むことを思いついたのかという問いにはきっぱりと「最初は健康のため」と言いきり、少し間を開けた後で「今現在は男のロマンですかね」と笑い、その直後「では行って来ます」と再び崖から躊躇することなくドリャー!!　と飛び込んだ。再び這い上がり「この場所は本当に危ない所ですよ、何度も僕も死にかけました」と真顔で説明し、そしてまた飛び込んだ。観た直後、得体知れずの「因果」が襲った。そこになにかしらの「真実」が見え隠れした。

レクチャーでは、「ドリャーおじさん」と併せて、昭和の前半、生涯に四度の脱獄をした人物や、百年程昔、四十三歳から三十三年を費やし一人で毎日石を拾い集め

「理想宮」と名付ける巨大な目的不明の建築物を建てたフランス人の郵便配達人の話を引き合いに出し、得体の知れない力に突き動かされる衝動と美術といったことを話すことがある。今回「洞窟オジさん」御本人をテレビを通して拝見した時、その気配に反射的にそんな過去の人物のことを思い浮かべた。それぞれの壮絶なる人生や並外れた意志のようなものに共通するものを感じ、いたく感銘を受けたことは確かだが、今回「因果四天王」と呼ぶべき人物が自分の中で揃ったところでふと思ったのは、それぞれの「顔」の共通項だった。

当然御四方には直接御会いしたことはないが、何物かに選ばれ「宇宙の律」としか言いようのないとてつもない時間を過ごす人物は、一様の面がまえに到達する。一様にやさしく、穏やかで控えめな深い静けさのようなものがそこには漂っている。

たとえこの地上での行ないが迷惑な奇行と呼ばれるものであったとしても、犯罪であったとしても、地上のあらゆる掟を凌駕する独自の「見えない場所」がこの世にはあり、そこに足を踏み入れてしまった者だけが持ちうる佇まいを帯びている。

稀に出会うそれらの人々に共通するのは異常に澄んで穏やかな瞳だ。瞳孔まわりの惑星軌道は、出会う人々に、見えない「宇宙律」を無言で投げかける。

二〇〇四年四月

竹輪娘の瞳

身長一センチ位の自分を想像して机上を歩き回り、その視点から本やノート、鉛筆、消しゴムなどを眺める、そんな遊びを、子供時代誰もがするようによくやった。非日常的な視点で歩き回る机の上は、さまざまな形の乱立する広場に一変した。四角い消しゴムは柔らかいビルに、下敷きは巨大なスロープに、また鉛筆は不安定な平均台に変じ、その中を遊び回っているうちに退屈な時間はあっという間に過ぎた。

その癖は大人になっても止まない。以前、紙止めクリップを引き伸ばしてさまざまな形を作り、十個ばかり机に並べ下からそれぞれのてっぺんを見上げた。それらは既に手を加える必要のない立体物に見えた。そして目の前のグニャグニャに曲がったクリップはいつか巨大サイズで作ってみたい作品リストの中に加わった。

六年前、体長五メートルの真っ白いワニを三体、強化プラスチックを使って作った。きっかけは、アメリカ南部の都市アトランタの雑貨屋で手に入れた長さ二十センチあまりの安物の中国製ブリキのおもちゃだった。

そのワニを手に入れた頃は、日本の地方を定期的に回り、風光明媚とは対極の殺伐と変貌してしまった光景や看板で埋め尽くされた風景をテーマに毎月絵を描いていた。それは内に起こる衝動から絵を描く感覚とはまったく異なっていた。時に嫌悪感をモチーフに絵を作り上げているような、何か自分の内側で真っ二つに引き裂かれた間に立ち風景を眺めているような、経験したことのない思いの中で絵を描いていった。ある時、そんな「日本」のイメージを「立体物」に置き換えたら一体どんな形になるのか、とふと思った。

内側に複雑に絡み合う日本をできるだけ簡潔に置き換えたらどんな形が浮かび上がるのか、その思いが常に頭にこびりつくようになった。

アトランタで購入したブリキのおもちゃはゼンマイ仕掛けで、ただジーッと音を立てて前進するだけの代物だったが、初めて見た瞬間、形がひっかかり手元に置いてあった。ある日、ボーッとそのワニを眺め自分の身長を一センチに見立てワニの周りを歩いている時、ふと「これダ！」と思った。

どこを訪れても代わり映えのしない地方都市から戻り、パチンコ屋やコンビニ、ラブホテルの乱立する国道を絵に描こうと思った時、空虚な、真っ青な上空に、カッパリ口を開けた白けたワニが雲のように宙に浮かぶ光景を一瞬垣間見たような気がした。

先日、絵を描き終え真夜中に部屋で寝転んでいると、耳に飛び込んできたＯＬ、夜景、幸福感、竹輪といった言葉の並びに興味を覚え、つけっぱなしのテレビ画面を何気なく眺めた。大好物の特定銘柄の三本入竹輪セットを日々切らさぬよう冷蔵庫に常備している二十代女性の投稿話だった。

毎日仕事場から自宅の部屋に戻り着替えると、おもむろに冷蔵庫から冷やした竹輪とマヨネーズを取り出し、マヨネーズ容器の口を竹輪の片方の穴にそっと押し当てる、そんな内容だった。

指先にペロンと垂れ下がる竹輪の穴にマヨネーズを注入し終え、ゆっくりと食べながら窓から夜景をボーッと眺める……そんな一瞬が日常での幸福の時であるといった話を司会の男が淡々と読み上げた。ソコハカとない貧乏臭さが空想する夜景の中のビルの窓明かりに流れ込む。マヨ竹輪話は先へ進んだ。

ある日、彼女はいつものように竹輪とマヨネーズ合体中、ふとマヨネーズはどのように竹輪の穴に侵入してくるのかに抑えがたい好奇心にかられた。

その瞬間、竹輪は未知の世界を覗き見る望遠鏡と化した。

ワクワクしつつ、マヨネーズを注入しながら片方の穴から覗き、容器を押した。

その瞬間、至福の時は地獄へと一変した。

マヨネーズ容器上部に入り込んでいた空気が、練り状のマヨ弾をＯＬ嬢の瞳めがけ勢いよく放出された。

目薬がわりに酢を目に落としたどころではなかったであろうその痛みに洗面所に突進したという落ちに思わず笑った。日常の手強さを実感するひとときだった。

勝手に妄想するジャージ姿のOL嬢が必死に目を洗う様に、勢いよく流れ出す蛇口からの水音が重なり、その部屋の間取りや冷蔵庫、インテリアが頭に浮かんだ。同時に頭の中にポッカリ横倒しの巨大な円柱が浮かんだ。彼女の「ふと」が感染したのか。長さ二十メートル直径五メートルあまりの研摩前の鋼鉄製円柱型シリンダーが、真ッ平の床にゴロリと転がるイメージ。シリンダーの内径は三メートルくらいか、ザラついた表面には切り出した直後の規則的に並ぶ傷が鈍い光を放っている。シリンダー内部いっぱいに詰め込まれ、固まりかけた乳白色のプラスチックの断面からは湯気が立ち上がり、シリンダーの余熱で溶け出した一部が溶岩のようにゆっくりと床に流れている。それが作品イメージなのか、何を意味するのかはわからない。竹輪が少し変形しただけのたわいのない思いつきとも言える。

ノーガード状態でいる時に唐突に浮かぶイメージが心に残り続け、アトランタのワニ同様に予期せぬ作品テーマに結びつくことがある。作品に行き着くきっかけは偶然の出来事がそんな風に絡む。その偶然に事故のような出来事が起きないかぎり完成には至らない。

投稿話を思う時、彼女が竹輪の奥から穴いっぱいに迫り来る黄色い溶岩のようなマヨネーズをふと見たくなった気持ちを考えた。

ふと思ってしまう出来事を「直感」という言葉に置き換えても、コンセプト重視の現代美術の世界では歓迎されない。竹輪周辺で話を止めた方が身のためだ。作品たるもの、まず誰もが理解できるよう言語化しなくてはならないというのが暗黙の掟になった。

自分自身はそのプロセスから作品を作ることはまずない。

仮に作品をそのように作り始めても、最終地点間際に言葉が剝がれ落ちなくてはならない。自分自身の制作には、言葉を無意味化する事故や矛盾が必須となる。

思い通りのものが出来た時ほど退屈な瞬間はない。

芸術とは無関係に起きた、ＯＬ嬢の竹輪へのふとした思いつきの方が、自分には制作衝動が身に迫る。その制作衝動が芸術につながっているかどうかにはまったく興味がない。

ふと思うことそれ自体に意味や目的はないが、そう思うことの底には何かを「わかりたい」欲求が関係しているに違いない。

作品制作とは「わからないこと」をわかろうとすること、そして再び出会ってしまう次なる「わからなさ」に抑えがたい衝動を覚えてしまうこと……その繰り返し。

それが一番わかりやすい。

二〇〇五年十二月

高野山のミシン針

「もうしゃり」（暴力団）→牛丼。

「フェーなご」（香具、不良）→カフェーの女給。

「隠語」というものが世の中にある。辞書で引くと「特定の職業・集団の者の間だけで通用する特殊な言葉。部外者から秘密を守るため、あるいは仲間意識を強めるためなどに使われる。」（類語大辞典／講談社）とある。「俗語」というと若者言葉や業界言葉、流行語や今風の言い回しなど、より広い範囲で使われる言葉全体を指すのだろうが、「隠語」というと秘密の度合いがより切実な印象を感じる。

俗語や隠語に興味を持ったのは十代の頃だ。漠然と画家という存在に憧れつつも、とっかかりどころか日常での立ち位置すらまったく見えない中、やさぐれた大人の雰囲気に憧れた。思いばかりが空回りしていた時期は、バカバカしくもやさぐれた映画を好んでよく観た。

たまたま一本の現代やくざ映画を観ていた時、男優の吐き捨てる台詞が妙に心に切り込んできた。

台詞自体が隠語だったため一瞬意味がつかめなかったが、場面の状況からそれが一体どんなことを指すのかは十分理解できた。チャカ、マブスケ、ポン中といったごく基本的な極道用語だったが、絶妙なタイミングで吐かれたそんな裏側の台詞がキュンと心にヤバい世界を呼び込んだ。旋律に似たその響きにガッとイメージが膨張し、心の一部が突然動き始めた。

学校で教わる言葉では出会ったことのない湿り気を伴う色香、ふとしたきっかけでヌメッとした肉塊を錆び付いたトタン板の裂け目から垣間見てしまったかの感情が湧いた。それはちょっと屈折した優越感のようでもあった。同時に、現実と虚構の世界に飛び交う究極のユーモア感覚を感じ、画家を目指すことの非現実的な妄想も笑いと共に救われる思いがした。

当時、ミュージシャン業界でのバンド用語、「ドンバ」（バンド）「ヤノピ」（ピアノ）「ジャーマネ」（マネージャー）といった倒語による業界用語を雑誌やテレビで耳にすることも少なくない時代でもあり、そんな日常の空気も俗語や隠語に興味を持つことに影響していた。

それらのバンド用語には、秘密めいた特定の世界を共有する人間の間で飛び交う裏打ちリズム的な「斜め」響きの魅力があった。

「せみ」（香具）→店。「みせ」の倒語。

「まだ花」（芸者）→年老いてもまだ色気のある女性。

裏社会に結びつきの強い隠語の数々は、その字面から受ける印象も独特なものが多いが、それ以上に発音することによってより本質的なイメージに近づく。隠語というジャンルにはアナログ的印象が強いが、サウンド・アンド・ヴィジョン的なデジタル世界と隣り合わせに位置しているようにも思える。特に漢字の隠語には、字面と意味の一体感に「表言葉」とはまったく異なる世界を強烈に感じる。それは隠語の多くが時代と密着した口語として淘汰を繰り返してきたからなのだろうが、改めて「隠語／インゴ」二文字を見つめてみれば、そこにかなりディープなデジタルイメージが立ち上がる。

数年前、『集団語辞典』（米川明彦編／東京堂出版）に本屋で出会った。カーッと身体中の血が沸騰する思いがした。長年探し求めていた本はコレだ！　ついに理想の本に出会ったと思った。本を持つだけで世の中の裏側に蠢く極秘ファイル映像が流れ出すように感じた。同時に並々ならぬ思いでこんな辞書を実現する先生がいることに、まだ捨てたもんじゃない気持ちが込み上げた。

この辞書には隠語・業界用語を中心とした各集団（分野）の語が用例とともに集められ、隠語もあれば非隠語も含まれている。本の冒頭にさまざまな業界世界を百六十あまりの「業種集団」に分け、その言葉がどの世界で使用されるものなのかが一目で判別できるよう整理されている。

辞書という極めて社会的なものを通じて、反社会的集団用語の定義、またその使用例や引用文を勉強すること自体に面白みを覚え、引用文献すべてを読んでみたい気になった。好みは、風俗、水商売、香具師、芸者、囚人、賭博、暴走族、乞食と分類された集団用語だが、とりわけ興味をそそられるのは香具師、芸者のものが多い。

「ミシン針」(芸者)→一人の女性としか交わらないことを信条とする男性。いつも同じ穴をつっついているところから。

香具師用語や芸者用語の秘めるイメージ喚起力にはただただ恐れ入るばかりだが、同時にそれらの文字の佇まいに立場をわきまえた奥ゆかしさ、気品すら感じる。それぞれの込みいった人間関係事情が一つの言葉の中で見事にぎりぎり釣り合っていることに驚くし、品格というものにも表と裏があるといった事実を突きつけられる。奇妙に感じるのは反社会的とレッテルを貼られる囚人用語、暴走族用語の中に、社会的な表言葉にはない独特の体温を感じることだ。つぶやくだけで生きていて良かったとすら思えてくる用語と出会う時、自分の中の善と悪の理屈では割り切れない複雑な人間の感情を思う。

隠語を眺めるのが好きなのは、生きている世界がとてつもなく広く、まだまだ何も知らないことを思い知らされ、またそれらの思いがなんらかのぬくもりの上にあるように思えるからだ。理不尽なる「生」をたった一つの言葉がスッと引き寄せる力が伝わってくる。その力は単純に何かを創ろうとする思いに直結する。なぜなのかはわからないが、今生きているという実感にジワリ忍び寄る匂いを感じる。それはおそらく言葉の中に理屈を超えた人の思いが長い時間の中でコトコトじっくりと煮込まれているからに違いない。

「高野山」（盗人）→便所。高野山の坊主と男根との連想から。便所に行くことを「こうやまいり」と言う。

「ほんけ」（盗人、不良）→刑務所または警視庁。べっそう、こきょう、じっかとも。

ふと隠語のような絵を描きたいと思う時がある。表や裏といった意味合いではない。予期せぬ時に隠語と出会う瞬間に受ける微温的な印象、そこはかとない佇まいを感じさせる空気、強引に例えるなら「気配」に近い絵といったことなのか。

陽の当たる言葉では言いきれない世界、察することでしか感知できない一期一会に消えていく事象、そんな絵を描いてみたい。

「陰／影」そこには時代を超えて絵と言葉を包み込む世界が潜んでいる。

（ゴチック体は『集団語辞典』より引用）

二〇〇七年七月

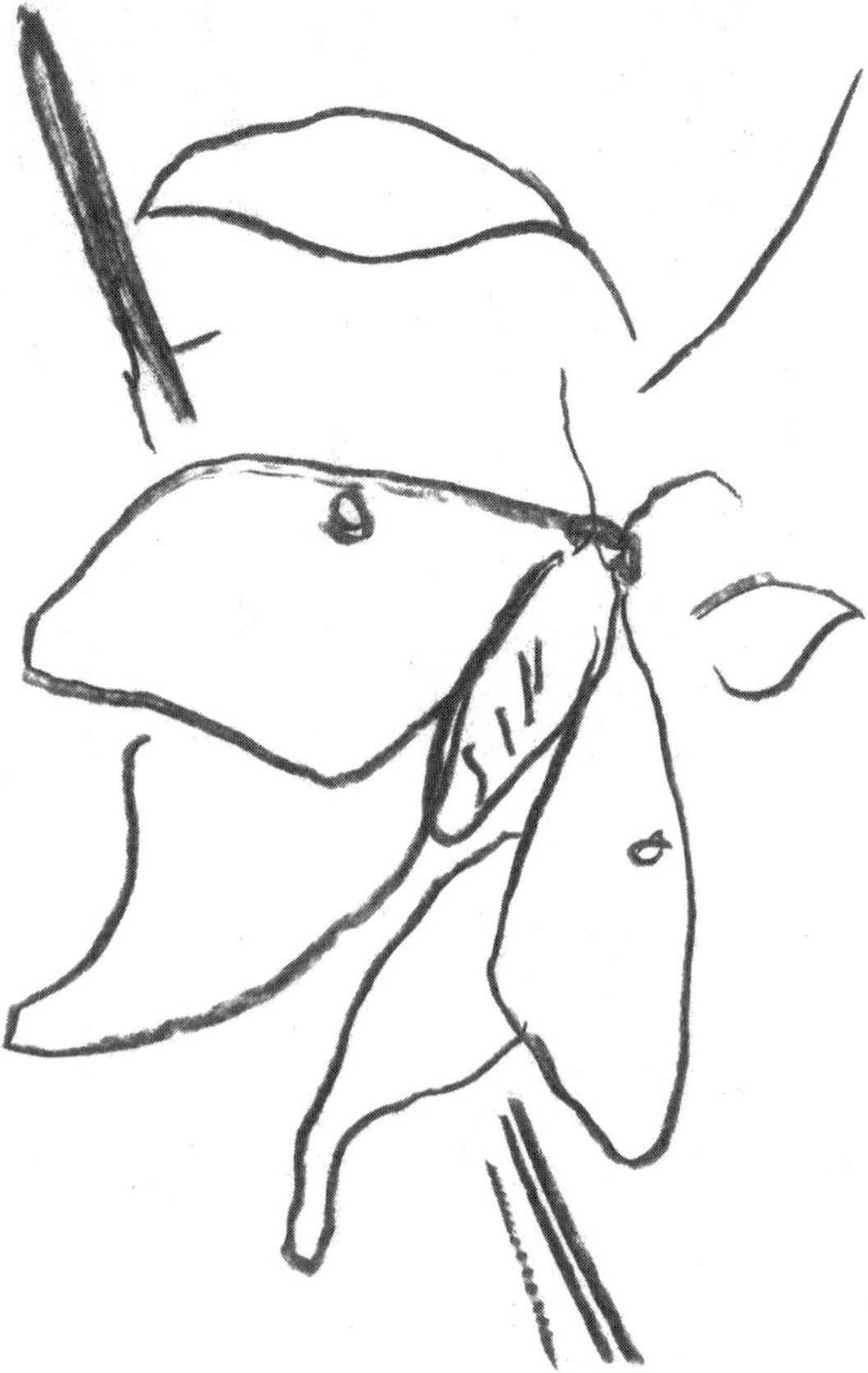

スズメバチとデュシャン

仕事場に時折予期せぬ訪問者がやって来る。これまでに鳥、ヘビ、ハクビシン、ムカデ、ヤスデ、蜘蛛、カブトムシ、クワガタ、石亀、蝶、蛾、カメムシ、トンボ、蛍などが訪れた。真夜中開け放したドアからスッと入り込み、仄かな光を断続的に発しながら飛行する蛍にふと気づく時と、描きかけの絵を動かすとそこにトグロを巻くヘビと遭遇する時では、こちらの反応は大分異なる。

今年の夏は異常な暑さが関係したのか例年よりハチがよく入って来た。不覚にも四十年ぶりに背中を刺された。気づかなかったアシナガバチの巣に近づきすぎたのが原因らしくワッと来てオッと逃げたら追いつかれた。しかしハチはこちらが攻撃体勢を取らなければアブほどしつこくまとわりつかないので至近距離に留まらないかぎりは無視してそのまま作業を続行することが多い。刺されたのはこちらが悪かったと反省、ハチは間合いを大切にする。

あの独特の重低音を響かせるヤツは別だ。今年はよくその重低音がやって来た。スズメバチだ。あの音は恐ろしい。唐突な羽音には言葉にできないハチ界の掟を下の方からねじ込まれるような気分になる。スズメバチ来訪時は仕事はピタリと中断する。ドアや窓を大きく開け放っても出ていく気配がない時は手元の採集網を手にスズメバチ捕獲作業に切り替える。決着を見なければ落ち着いて絵が描けない。あまりない緊張感の時だ。

その日、何度目かの捕獲失敗を中腰体勢で繰り返しているとスズメバチは窓ガラスとブラインドのあいだに自ら飛び込んだ。今までなかったパターンだ。すぐさまブラインドを閉じその巾五センチくらいの空間に閉じ込めた。で、ここからどうするかだ。出ていっていただけないかぎり解決にはならない。膠着状態が続く。捕獲をいったん止めブラインドを微妙に開けしばらく様子をみた。スズメバチはこちらに背を向け窓ガラスの上を這っていた。黄色と黒のストライプ腹がむっちりとデカい。その後姿は結構色っぽい。再びきっちりとブラインドを閉め逃げ出しそうにないことを確かめ絵の続きを描くことにした。

しばらくするとハチが飛び込んだスペースと羽根音の周波数の相性のせいか、窓方向からいい塩梅にエコーのかかる重低音が定期的に聞こえてきた。変則リズムを刻んでいるようでなんとも心地よい。ブーンブーンとウーファー振動音を仕事場に不定期に流す。投げやりな、たった一つの限られた音質のリズムが単純な飛行音とは微妙に違う印象を醸す。

音を発し続ける「スズメバチ」という一般名称、色と形、冷ややかな威圧感、そしてウーファー音がピタリと頭の中で重なった。五分ばかりそのスズメバチはダブな変則リズムを響かせブラインドのわずかな隙間をこじ開けると作業中の頭上をかすめ至近距離に最後の重低音を投下しドアから一気に去った。そいつに理想のミュージシャン像を思った。音との必然性といい、ふてぶてしい態度といい、なんともヤラレタ感がしばらく尾を引いた。自由を感じた。そんな風に絵を描いてみたいと思った。

不快でも快でもなく、嬉しくも嬉しくなくもなく、怒るでも怒らないでもなく、意味とか無意味とかでもなく、考えるでも考えないでもなく、その時自分の中にあり続けるのは曖昧なる緊張感。体長数センチの有機体の乱入飛行により一瞬のうちにこちらはそんな状態に慌てふためく。済んでしまえばなにかが起きたような起きなかったような、そんなフラフラと奇妙に宙に浮いた時間が部屋の中にボーッと消えかかる。

台風十六号直前、富山市にいた。富山県美術館の企画展に、以前描いた《サンティアーゴ》（一九八五年作）という題の絵が出品されることになり、それに合わせたワークショップで本を作らないかというお誘いを受けたのだ。

偶然にも今年に入って気になっていた一つのことが、その美術館所蔵のマルセル・デュシャン作品と関係していた。一九四六年に制作された《トランクの箱》だ。内部に主要作品の複製を詰め込んだボックス形式のマルチプル作品で、限定二十部の豪華版の箱にはそれぞれ一点ずつ異なるオリジナル作品がはめ込まれている。

先日、古本屋で手にしたデュシャン特集号にはその美術館所蔵の※《トランクの箱》エディション十二番に貼りついた《偽りの風景》と題されたオリジナル部分が小さく印刷されていた。何気なく作品クレジットに目をやると、画材欄の「黒サテンの貼られた板に精液」という文字が飛び込んできた。

何かガッとショックだった。ドパンクだ！　と思った。「精液」というクレジットと茶褐色に変色したカラー図版の絵のあいだを何度も目が追った。幾度か目にしていたその図版の正体がまさか精液だったとは……。愕然だった。久々の裏切り感に襲われた。

もともとその作品は当時のデュシャンの愛人マリア・マルティンスに贈られたもので、一九八九年に、海外の専門家が画材を鑑定したところ精液であることが判明したらしい。そんな事実は露知らず、その瞬間から是非実物をこの目で見てみたいという思いも募っていった。

一九四六年と言えばデュシャンは五十九歳、黒地にのったり貼り付く茶褐色のその形になぜか「宙を飛ぶスーツ姿の男」が思い浮かんだ。説明してくれた女性学芸員の口から思わずついて出た「この量が！　……」の一言に、霊長類ヒト科の♂として、なるほどと深く納得させられる初老デュシャンの逸品だった。

七八年にアンディ・ウォーホルが銅顔料塗装を施したキャンヴァス上に放尿した際の飛び散る痕跡を絵画とした作品や、また積もる雪上で放尿により雪が解けた偶然の形を立体にした誰かの作品をどこかで見たことがあるが、精液を画材に使用した絵画を見るのは生まれて初めてだった。それが昭和二十一年、日本国ではバタヤンこと田端義夫が「かえり船」をヒットさせた終戦直後の時空のもと、既にマルセル・デュシャンによってこの世に送り出されていたことを知りまた目撃したことはかなりインパクトある出来事として内に残った。

その精液がデュシャン本人のものであるのかどうかは明記されてはいないが、誰のモノであれ、そこにもまたデュシャン特有のハグラカシを感じ、独特の徒労感や凄みを感じた。

二十一世紀に突入し芸術は自由な表現の場と人々は口にするが、数十年前、日本がまだ闇市の時代に、精液ペインティングを敢行した一人のフランス人を思い浮かべるだけで、一体現代芸術のどこが先端なのだろう、なにが進歩したのだろうという気持ちになる。その予期せぬショックに、絵画と自分自身の間に立ちはだかる果てしない距離がじわじわのしかかる。

デュシャンは三十歳で男性用小便器を「泉」（または噴水）と題して発表し、五十九歳で精液を黒いサテン布にブッかけただけの絵画を《偽りの風景》と名づけ芸術としてこの世に送りだした。その尿から精液に至る一人の男の道程を思うとき、無数の星の煌めく闇宇宙がポッカリ浮かぶ。

描きかけの絵を至近距離で眺める時、スズメバチの羽音とデュシャンの精液が、心に重低音で鳴り響く。

二〇〇四年九月

※富山県美術館所蔵の《トランクの箱》は、一九四二年から一九四九年にかけて制作された二十部限定のデラックス版のひとつ。オリジナル作品《偽りの風景》の裏書として、一九四六年制作、二十部中十二番の記載がある。

トースト絵画

「目の前の手のひらのトーストは絵画なのか？」。十代のある日、突然そう思った。拾った段ボールに油絵具で自画像など身の回りのものを描く日々の中、海の向こうで十年以上前に起きていたポップ・アートを知り、聞きかじりの妄想で頭はパンパンに膨らんでいた。それまで何気なく目にしていた日常のあらゆるモノやデキゴトは、現在進行形のアートの主題として十分成り立つといった開眼意識が一気に膨らみ始めた頃だった。

真っ白のキャンヴァスを気軽に購入する余裕はまったくなかったが、それを手にした時は、布地が微妙に陰影を醸すその表面をじっくりと眺め、いつもその匂いを吸い込んだ。真新しい白いキャンヴァスという物体、そこに絵具を塗り付けるという行為、すべてが今より強烈かつ特別の思いを伴っていた。

トーストにいつものようにバター・ナイフでバターを塗り、バターより硬めに練られた茶系色のピーナッツ・バターをその上に塗った。つい先ほどまでパレットナイフで油絵具をキャンヴァス上に塗りつけていたことから、ところどころコゲ目のついた白っぽいトーストにピーナッツ・バターを塗る行為、その光景に一瞬「絵画」が思い浮かんだ。しばらく頭の中をキャンヴァスとトーストが交互に行き交った。ピーナッツ・バターと溶けかけた半透明のバターのマチエールによる手のひらの「抽象トースト」を眺め、食べられる！　……これはすごい発見だと思った。

これこそがポップの本質だろう、ジャスパー・ジョーンズでさえ《齧《かじ》られた絵画》だと、暴走する思いは加速した。なにより「食べられる絵画」という思いに体内の血液が逆流した。トーストを前に狐につままれたような時間がしばらく続き、結局何がなんだかわけがわからなくなった。しかしその時、掌に乗った一枚のトーストに深い感銘を受けたことは、初めて経験する特別な出来事だった。

なぜピカソによる絵画は芸術で、自分が心動かされる目の前のトーストはそうでないのか、といった疑問の先に答えはない。ピカソの絵画や一枚のトーストが芸術であるかどうかではなく、問題は人それぞれが何を「芸術」と捉えるのかということに核心は行き着く。そしてそんな考えの先には、いつの世も常識というブ厚い壁が立ちはだかる。

以前音楽家ブライアン・イーノによる著作物（『A　YEAR』山形浩生訳、パルコ出版）で読んだ興味深い逸話を思い出す。

七〇年代初頭、ビートルズ解散直後、まださまざまな意味で世の中への影響力が絶大だったジョンとヨーコの新譜アルバムに対する、ある音楽ジャーナリストのレコード・レヴューにまつわる話だ。その著名なジャーナリストは独占的にリリース前のホワイト・プレスと呼ばれるテスト盤を入手し、レヴューを請け負うことになった。受け取ったテスト盤のA面には数曲の新曲が、B面にはターンテーブルの安定性やビニールの品質をチェックする目的でカッティング技師が入れた二十分間の連続トーンのみが入っていた。ジャーナリストは本来レヴューすべきA面ではなく、B面のテストトーン・サイドを二人の画期的な新曲と思い込み、深く感激しレヴューに肯定的に大きく取り上げた。

この話を読んだ時、芸術にモヤモヤかかっていた霧が一気に晴れ、同時にあの日のトーストに起きた出来事が何だったのか大分スッキリした気持ちになった。

当時、その著名なジャーナリストにとっては確かに取りかえしのつかない悲劇であったことは容易に想像がつく。「テストトーンが名曲？『レヴォリューション9』にヤラれちまったんじゃねえか？」そうパブで笑いこけたビートルマニアもたくさんいたに違いない。しかしそれを芸術の世界に置き換えると、より鮮明に核心が見えてくる。

とどのつまり、そのジャーナリストは世間の見方とは真逆に、実はかなり重要な真理の楔を無意識なる予兆としてその時代に打ち込んでいたのではないか？　たとえ作者本人が認めた作品だろうが、芸術的意図皆無のテストトーンだろうが、勘違いにせよ間違いにせよ、一人のジャーナリストの内側で何かが起きてしまった事実こそが、芸術かそうでないのかを分かつ重要な基準だったのではないか？

　そもそも、作り出した作者が作品の一番の理解者とする前提自体が「常識」という名の煙幕にすぎない。皮肉なことに本質はこの話のようにミステイクや勘違いから稀にこの世にポロリとその姿を現わす。

　十万個の規格品の中にも一つだけ芸術作品が紛れ込むことが世の中にはある。それを察することができるかどうかはそれを目にした人物の内側で何かが起きるかどうかにかかる。単なるB面のテストトーンに画期的な音楽の可能性を純粋に感じたジャーナリストのほうが、当時最先端の感覚の持ち主とされていたジョンとヨーコより、実はよりジョンとヨーコ的だったのだとも言える。

　そのジャーナリストがおそらくテストトーンを「ジョンとヨーコ」という時代のアイコンとセットに聴いていたであろう点、そこも重要だ。無意識的にせよ「ジョンとヨーコ」というい かにも何かをヤラかしてくれそうな存在とセットでテストトーンを聞いたことが、そのジャーナリストの内側に何かを起こしたに違いない。

純粋にモノを見る行為は非常に困難だ。ピカソの絵画を観ることには、同時に彼のとてつもない認知度や絵画の価格からの「価値感」がセットになっている。

ピカソの絵画もトーストもモノだ。結局モノとしてすべては「等価」だという考え方が納得がいく。一枚の絵でも、公衆便所の卑猥な落書きでも、また見上げる美しい夕空でも、何かを見たり経験したりすることによって、それまで経験しえなかった出来事が内で起きてしまうその瞬間、そこに「芸術」が立ち上がる。芸術かそうでないのかは、モノとしての作品の中にあるのではなく、結局それを経験した人の内で起きるか、そうでないのか、に違いない。

あの日のトーストは内側のターンテーブル上で、アームが外れたまま今でもクルクルと回り続けている。

二〇〇五年一月

ウォーホル氏

場所は宇和島の酒場。入ると奥に向ってカウンターが伸び、赤いボックスシートというやつが二組ある構造の小さな店だ。そのカウンターの両端、天井近くには大小微妙に異なるサイズのテレビ・モニターが一台ずつ設置されている。その夜、義父に呼ばれ、店のドアを開けると地元の常連客四、五人（全員七十過ぎ）、いつものようにその画面を見つめつつカラオケ演歌を絶唱していた。ああどうも今晩は、と挨拶をすると「都はるみ」の追っかけ歴三十年の客（七十六歳、元税務署員）が一人、モニターで進行中の歌詞を読みきってから歌唱進行形でこちらに目で挨拶を返した。

この波止場町へ来て十五年……狭い街とはいえ、繁華街とその外れ、あるいは港周辺と、飲み屋のロケーションによって客層が大分違うことを膚で感じ取れるまでには十年あまりが経っている……それがどうした、で、オレのやってること、塗料をキャンヴァスに塗りたくったり拾った印刷物をボンドで貼り続けることと一体どうつながっている？　ここは地球が裏返っても四国の端に違いない。

持ち歌演歌を絶唱する至近距離のジイさんの口からは、ツマミピーナッツのカケラが夕行の歌詞に力こぶしを握るたび、プップップップッと黒マイク先端の金網の隙間めがけて飛び散る。後生だからそのマイクだけはオレと巡り合わぬ御加護を神様！ノってる証拠は推し歌姫の「男船」。左耳三十センチで一拍遅れのビブラートを知覚しつつ、見るでもなく眺めるでもなく鑑賞するでもなく、どこかしら得体の知れぬ場所からトットツと訪れる空しさのような諦めのような、ドン詰まりのような果てのないような、宇宙規模に伸びきったダダっ広い小学校の真っ暗闇の校庭で運動会用白線引きの距離測定行為をしている孤独な虫にでもなった気分で、それを見つめていた。オレはなぜココにいる？　……ココからマンハッタンまで歩いて何歩？

「ウォーホル氏」と「カラオケ」、二つの単語が突然頭の中にポッカリ並んで浮かんだ。

瞬間、カウンターについていた肘を何者かにカクッとはずされたような気持ちになった。

ウォーホル氏は突然やって来る。宇和島にいてもやって来る。背後霊のように現われる。この二つの単語の、脈絡を素通りして共鳴するケッタイな着地感は一体何だ？

ウォーホル氏とはもちろん言わずと知れたポップ・アート界の大巨匠として不動の位置に置かれている故アンディ・ウォーホル氏（1928〜1987）のことだ。

高校生になったばかりの頃のある日、兄の部屋に置いてあった一冊の本で彼の存在を知った。時は七〇年代に突入しており、今でも彼の代表作とされるキャンベル・スープの缶詰やコカ・コーラ・ボトル、マリリン・モンローやエルヴィス・プレスリーを取り上げたシルクスクリーン作品群や彼の関わる数々の実験映画の代表作の制作年からは数年以上が経過していた。既にポップ・アートの勢力は過去のものになっていた。

絵画、映画、音楽プロデューサー、雑誌編集、骨董や美術作品コレクター等、さまざまな顔を持ち、芸能インタヴュアー的な側面もあり「メディア・アーティスト」と括られ方をされることの多い二十世紀美術の天才だ。自分自身、多感な頃にその存在を知ったためか、当時の限られた情報源から組み上げた妄想に近いウォーホル像や作品群を通して多大な影響を受けた。

それ以来彼は自分の中に居続けている事を時々ふと意識することはあるが、当時影響を受けた他のアーティストたちと異なり、「わからなさ」と「ウォーホル」という言葉が宙に浮いたまま、時が過ぎ去った思いが強く、気がつけば内側から脱獄を図られていた、そんな感覚がある。

そんな彼がポップ・アートの巨匠として、世界津々浦々に認知されるに至った今日この頃であることは理解できるが、自分の中では十六歳の頃から相変わらず「コイツ何者？」といった思いをどうしても拭いきれない。もちろん彼の業績に疑問や難癖を付けようといった意図はまったくない。しかし彼の世間での居場所に対する違和感が自分の中からくすぶり続けたままの状態は三十年後の宇和島でも変わることはない。

世界は彼に関する定義付けを遥か昔に終了し、美術史の一部として葬り去り、芸術はその後新しい世界へと突き進んでいるかのように振る舞っている。本当だろうか？といつも思う。

そんな三十年にも及ぶ悶々とした癒えない傷としてのウォーホル氏は、ある日、演歌を絶唱するジイさんの真隣に「カラオケ」と化して着席した。

「繰り返すこと」「量産」「誰でも15分間有名になれること」「既に存在するものの使用」「同時進行」「素人／無名俳優の起用」「自己陶酔的」「低予算」「自分は何もしないこと」「人工照明と闇」「テレビ・モニター」「映像と編集」「オートマティック」「ホーム・ムービー」「時間」「チープ」「フェイク」「からっぽ」「受け身」「音楽」「ノイズ」「メディア」「コマーシャル」「エンターテイメント」「インターナショナル」「ドメスティック」「芸能」「ゴシップ」「見る」「読む」「曖昧」「匿名」「非個性」「ファッション」「平等」「システム」「芸術界から嫌われる点」「芸術などと誰もが思わない点」「さっさと忘れ去られる点」「制作者は誰でもいい点」そして「ビジネス」……ウォーホルについて自分の印象を思いつくまま並べると、それらの言葉は、カウンター上部で進行中の発光モニターに躊躇することなく自動的に吸い込まれていく。カウンターについていた肘が再びカクリと外れる。

日本の果てのカラオケモニターの裏側で背後霊のごとく潜伏し続けるウォーホル氏、これはどう見ても完全犯罪だろう。もうここ宇和島のスナックまでは誰も追って来まい。

今、「芸術」として認知されることに一体どんな意味があるのか？　そんな疑問を人々に抱かせる日常の隙間にウォーホル氏は今でも唐突に出現する。もしウォーホル氏が二十世紀を代表する天才芸術家であるなら、世界に定着した「ＫＡＲＡＯＫＥ」と「ＡＲＴ」との関係は？

芸術業界の人間にカラオケを毛嫌いする人々が多いのは、いまだにウォーホル氏の精神がこの世にしっかりと生き続けているからなのかもしれない。

結局、隣で絶唱するピーナッツ飛ばしのジイさんに軍配が上がるのを見届けて誰もいない宇和島商店街を一人家路に着く。

チカチカ点滅をくり返す切れかかる蛍光灯、広すぎる宇和島のアーケードがウォーホルの新作展会場に見えた。

二〇〇四年六月

洞窟のイチロー

寝転んでスポーツニュースを観ていた。記録達成前も後もなにかとイチロー情報を目にする毎日。

「イチローはバットをテニス・ラケットのように扱う」といったアメリカ・メディアの表現が耳に飛び込む。日本の解説と随分違う表現をするもんだと感心する。「バットとテニス・ラケットねえ……」などと編集されたイチローの姿を眺めながら、あの例の美しく黒光りするバットとテニス・ラケットの図を並列にふたつ頭に思い浮かべた。図の前を「絵？　……芸術？　……コンセプト？」といった言葉が足早に通り過ぎた。

白いプラスチック・プレートにゴチック体で印刷された「スポーツ」という文字が、真っ黒な闇を開けた洞窟入口の上にブラ下がる。入るとその先には再び無数の入口、あらゆるスポーツ名のプレートがそれぞれの入口に掛かっている。とりあえず一つを選んで進んでみる。そのずっとずっと奥深いところ、まったく違う入口からやって来た男二人、一番奥の場所でバットを振り続ける男とテニス・ラケットを振る男が背中合わせで薄い岩盤を隔て必死に汗を飛ばしている。その二人は岩盤の向こう側数センチ先にもう一人別種の男がいることにまったく気づかない。ブーンブーンという鈍い音だけが闇の洞窟内エコー音に姿を変えて鳴り響く。

二人を隔てる「岩盤」とは一体何だ。よく見るとうっすら「芸」「術」の二文字、それぞれの表面に一文字ずつ刻まれている……妄想？　もどかしさが心に沈澱していく。いつもこうだ、さっぱりわからない。

バットさばきに日頃限界を感じていた選手がある日の昼下がり、ふとテニス・ゲームを観戦している時、「そうだ、バットをテニス・ラケットのように使う打法はいけるかもしれないゾ！」と思いつく。

バットはラケットであるというコンセプト……。その瞬間からテニスに関するあらゆる資料を集め、さまざまなプレーヤーの映像を分析しシミュレーションを繰り返し、ついに「テニス打法」に至る。が、そこに至れば至る程、なぜか岩盤はその厚みをジワジワと増していたことにそのバッターは気づかない。コンセプトではどうしても至ることのできない場所。どんどん厚みを増していってしまう岩盤の意志。……再びもどかしさが忍び寄る。

翌日また寝転んでニュースを観ていた。

「イグ・ノーベル賞」という聞き慣れない単語が飛び込んできた。

「Ignoble／品がない、あさましい」と「ノーベル賞」を掛け合わせた名称であり、世間を笑わせそして考えさせた人が授賞対象とのこと。今年の第十四回「イグ・ノーベル賞／平和賞」に一九七一年、カラオケを考案した発明家、井上大佑氏（六十四）がめでたく選出され、米ハーバード大学での授賞模様が映し出されている。イチローとカラオケの異常接近の晩秋の夕暮れ。「世界の人々に歌う喜び、そして耐えるということを教えた」といった授賞理由のコメントが流れる。なるほどアメリカ人はこういう時うまいことを言うと、前日に引き続き感心した。

その人物がかつて制作したカラオケ原型機が突然大きく映し出された。タテヨコ四十センチくらいの赤と白のボディに数個のツマミがシンプルに並ぶ。正面右下に八トラック・カセットが数本収納できるスペースも設けられ、白いコントロールパネルからヒョイとマイクが伸びている。

なんとツマミの上には「8　JUKE」とある。思わず飛び起きた。なんかすごいものを目にしたような衝動があった。「美しい！」と思った。ひどく不格好なのだがとんでもなくカッコいい。「J」「U」「K」「E」の文字が頭の中で「試」「行」「錯」「誤」の四文字に変換した。頭上に、限りなく棒っきれに近い形の一本のバットが浮かぶ。そしてそのぶかっこうなバットはかつてハワイの博物館で目にした古いサーフィン用ロングボードを引き寄せた。

一本のバット、ハワイのロングボード、カラオケ原型機に共通するもの、それは時間をかけた試行錯誤を経て最終的に至った／至ってしまったそれぞれの形、そしてそれに伴う手作業だ。削り、切断し、貼り付けまた削る……失敗、実験を繰り返しミリ単位もしくはそれ以下の世界での調整の結果、前例のない世界への強い思いとともにその形に至ったに違いない。

しかしそれだけではまだ美しさには届かない。おそらくその先には「偶然」が関係しているのか。

手作業による試行錯誤のプロセスが結果的に行き着いてしまった予期せぬ形。そこをスタート地点にデータ・ゼロ状態で稼動後、そこになんらかの超微細な出来事が事故として加わった瞬間、そこに「美」が立ち現われるのではないか。バット上の打球の痕跡、ロングボード上に起きる目に見えないレヴェルでの波による磨耗、カラオケ原型機内に流れ続けたであろう電気や帯電による微妙な変化、それらすべてが形と一体となった時、特別なものをまとう。

一九六〇年から六二年初頭にかけ、アンディ・ウォーホルがおぼろげな答えに向かって、手作業によるペイント、ステンシルやスタンプを使用し「シルクスクリーン印刷」という足元にあり続けた技法に気づくまでのプロセス、そこにはすさまじいスピード、試行錯誤の痕跡が圧縮されている。八九年ニューヨークの回顧展会場を歩き、その時期の作品を前にしているだけで、過去の圧縮が身体を突き抜けた。そこに至る時空はとんでもないと思った。

同じイメージを「繰り返す」という、彼の中でチラチラと見え隠れする答えが異常接近しては遠のいていく、そんなもどかしさの一歩手前でのとてつもない試行錯誤の繰り返し。行き着いてしまえば拍子抜けしてしまうほど薄い岩盤の向こう側に広がっていた新たな荒野。

一九六二年初頭、初めてのシルクスクリーン・インクによる作品《ドル札》の連作には、カラオケ原型機のまとう不細工でもどかしきカッコよさと同類の佇まいがある。そこにはいまだ揺らぎ続けるきわどい岩盤が危うく立ち続けている。

六〇年代を通してシルクスクリーンという一つの到達点に行き着いた後もそれらがアート作品として突き抜けていったのは、おそらく作品表面上に微妙に異なるムラやカスレといった偶然起きてしまった無意識の痕跡を無責任に野放しにし続けたからなのだろう。それらの痕跡が彼自身の意識に入り出した途端、初期の圧縮感は一気に消え去りシルクスクリーンという技法は別のステージに移行していた。

野球とテニスとサーフィン、そしてカラオケとシルクスクリーン……まったく異なる領域で揺らぎ続ける共通の場所、諦めた途端それは一瞬で見えなくなる。

二〇〇四年十月

ダ・ヴィンチとバターナイフ

二年前の秋、書店で時間を潰していた。宇和島から都会に出ると、本屋とCD屋なら二泊三日してもいいなと思う。その時も特に探している本はなく、本の匂いを嗅ぎにぶらっと立ち寄った。

まったくのノーガード状態、ボディでもテンプルでもチンでも、もうどこでも打ってくれといった感じだったのだろう、ふと一冊の本が目に留まった。「ナンじゃコレは?」と思った。デカい！　ブ厚い！　その瞬間身体がカッと熱くなった。久しくなかった感覚、そして笑いが込み上げた。

ドイツの出版社から出たばかりの、レオナルド・ダ・ヴィンチの膨大な量の草稿をテーマ別にカラー印刷した本で、タテ四十八センチ、ヨコ二十八・五センチ、七百ページあまり、厚さは七センチ以上ある。

立ち読みにはそうとう腕力の要りそうなその本は、己のマッチョぶりを誇示するかのごとく、店内の庶民的な品揃えの本棚を曲がるとドンッと積まれドテッと寝そべっている。精一杯踏み止まろうとしたが、そこからの圧倒的な引力に引き込まれた。

コレは「本」か？

「貼れ！　今すぐ貼れ！」そう言われたような気がした。「貼り倒してやろう！」と決意していた。反射的に「クヌヤロー！」と思っていた。

「この本のすべてのページ上に毎日毎日何かを貼り込み、色や線で埋めつくしたら一体どうその姿を変えていくのか？」。そんな思いがグルグルと頭の中を巡り、一刻も早く持ち帰り、床にドンッと投げ出しガッと開いて偶然現われるページ上に絵具をぶちまけたい衝動にかられた。その衝動に素直に従うことにした。こうしてその本との関わりが始まった。

一九七七年頃からノートやスケッチブックに日常の中で手に入る印刷物やらチケット、レシートを貼り込むことが日常の一部になっていった。その年、それまでの生活が激変し、自分自身の立ち位置がまったく定まらず、とりあえず過ごした一日の終わりに手元に残った印刷物を淡々と貼ること、それだけを繰り返した。特別な義務感や目的、作品制作といった意識とはまったく別のところで、貼る日々が当たり前に始まった。それは子供の頃に感じた「描く」こととはまた別の場所にあった「貼る」快感を遠くから引き寄せた。日を追うごとに徐々に増すノートブックの厚みに、自分だけの時計を手に入れたような、そんな気になっていた。

途中から色や線が加わり、サイズもさまざまに変化したが、基本的に印刷物を貼り込むということに変わりはない。選び取った一冊の紙の束と過ごした時間に納得できたかどうかが、それぞれの本の終わりを決める。その終わりが近づいてくる時の空気はいつも決まって淡々と流れてくる。

それを感じると次に貼り込むための本を探し出すため、その時期は一冊の終わりと次の始まりが重なることになる。

その作業を続けてきて一番大きな変化といえば、十五年ほど前から、下地のまっさらなノートやスケッチブックにではなく、他人の写真集や画集の上に貼り込むようになったことだ。

そのこと自体に特別な意味はない。気に入った本だから貼りたくなる、ということでもない。既製本には下地に何かしら印刷されているため、貼り込んだ時、予期せぬ重なりに面白みを感じること、また印刷一層分の手間が省けるといったことが主な理由だった。もし白いところから始めたくなったなら印刷面を白く塗ればいいし、またその方が色ムラを通した下地が見え隠れして興味をそそる。内容以前に、本の構造の頑丈さ、特に背の部分の強度が、最初に本を選ぶ際の第一条件になることに変わりはない。

何層にも貼り重ね、破いてまた貼り、そしてその上から絵具やインクを何回も塗り重ねることが多いため、結局本のページに印刷された元の図像は見えなくなることがほとんどだ。しかし結局見えなくなってしまう図像も、自分の意図を超えたところで何かしら最終的なページの表面に見えない影響を与えるようだ。

これまで貼り込んだ本は六十冊を超えたが、一冊目から変わらないことがある。それは言ってみればギアの回転のようなことだ。今までにさまざまなスケッチブックや画集、写真集に貼り込んできたが、共通するのは、どんな本にも、貼っていくことによって何かが動き始める瞬間が必ずやってくる。貼り込む事により作動するギアのようなものがどんな本にもあり、そんな目に見えないギアのタイミングとどう折り合いをつけていくかが、貼り込みの鍵になる。

新しい本に貼り込みを始めると、しばらくは事がまったく前に進まない時間が過ぎる。貼っても貼っても、何十ページ進んでも何も前に進まず重苦しい時間が必ず訪れる。しかし毎日続けるしかない。そしてある瞬間、ジワッと動く感覚がやって来る。これは必ずやって来る。ちょうど金属製の小さなギアが目に見えないレヴェルで動く感じに近い。そんな時、いつも頭に浮かぶのは、古い掛け時計に内蔵された真鍮の歯車が幽かに回転する図だ。

そのとき、初めて時間が流れ始めた気分になる。「動いた」といつも思う。いったん動き出すとさまざまなギアが連動し始め、たった一本の線でもページに食い込んでいくような「密度」が加わってくる。それまでまったく無関係にあったページが自分を無視して独特のつながりを勝手に結び始めるような、そんな感覚を覚える。だが、気にいったページに「意図」を見出そうとすると、動いていたギアは思いに反して必ず止まってしまう。

セデル・デイヴィスという黒人ブルースマンがいる。一九二七年、アメリカ・アーカンソー州に生まれたこの人物は小児麻痺による右半身の不自由から、バターナイフを使ってギターを演奏することを思いつき、九五年に六十八歳でデビュー・アルバムを発表した。彼はバターナイフを右手で握りしめギター・ネックの上から弦を擦り付けてギターを弾き、そして歌う。その音を初めて耳にした時、「ブルース」という音のうねりは、この地球上の忘れ去られた場所で人知れず進化を繰り返し、真っ当にその響きを刻み続けていたことを強く思い知らされた。まるで汚染され続けた沼の底に、真っ黒にヌメった生き物が一匹、奇跡的にピシャピシャと音を立てのたくっているのを偶然目撃してしまったような、そんな衝撃があった。同時に人とモノの本当の出会い、強い思いが導く本質的な出会いを考えた。バターナイフはバターを塗るのに便利な道具であり、また誰かにとっては楽器の一部にもなりうるという事実……。

ある日、彼が一本のバターナイフを手に取り何気なくギター弦に押し当てた時、繰り返されるだけだった退屈な音は異次元での無気味な共鳴を開始した。バターナイフとギター弦の出会いによるいまだ定義不可能なその音は、すべてのモノから意味を消し去り時空の闇に鳴り響く。

二〇〇三年十月二十五日に貼り始めたダ・ヴィンチの本は、四百九十七日後の今年三月五日、すべてのページを貼り終えた。途中、本の背は予想通り何度も壊れ、単なる紙の束への分裂を繰り返し、本の厚みは四十センチに膨れ上がった。それを眺め、本屋で見つけたダ・ヴィンチ本は、やはり自分にとって並の「本」ではなかったとそのとき初めて思った。

二〇〇五年三月

地図のにおい

印刷物や紙屑を他人の画集や写真集に貼り、時にその上に色や線を加えるといったスクラップブック制作を続けている。「一切のルールなし目的なし」を基軸に、とりあえず心の中で「貼りたい」衝動が湧き上がらなくなるまでやってみようと始め、いつのまにか三十年が経ってしまった。

日常の生活でも他人のことは何かと客観的、冷静に見えやすいが、自分自身のこととなると、明解な答えが目の前にブラ下がっていても全く見えないといったことはままある。

二十歳過ぎで「スクラップブック制作」を始めてしばらく経ち、薄々感じ出したのは「貼る」ことに対する意識だった。毎日貼っていながら初めて「貼る」ことが意識内に入り込んできた。芸術だアートだという前に、単純に自分は「貼る」ことが絵を描くこと同様に性に合っている、そんな風に感じた。そう意識し始め、それ以前に作った絵や作品を改めて見ると、下地として何かしら貼り込んでから制作に取りかかったものが思いのほかたくさんあることに初めて気がついた。

そうしたことを考えたり気がついたりすることが自分自身を縛り付ける危険性も感じたが、特にマイナスの影響もないまま時が過ぎた。その時点から随分時間が経ったが、スクラップブック制作から何か特別なことがわかったかといえば、情けないほど進歩がない。絵を「描く」ことと「貼る」ことは自分の中でどこかしっかりとつながっているようだといったことぐらいしか確かなことは見つからない。

展覧会の折などそんなスクラップブックについて「日記のようなものですか？」といった質問を受けることが多い。どうも「日記」というものとは違うことはわかるのだが、では一体何に置き換えられるのか、具体的な単語が出てこない。いくら考えてもそれを完璧に置き換えられる言葉など見つかるわけはないが、もう少しニュアンスが伝わるうまい言葉はないものか、時々考えることがあった。

先日、近所を歩いていて前方左手に「立小用中」の男が見えた。

その場所は川沿いのブロック塀の端と石橋に挟まれた隙間に位置し、塀右上から庭木が微妙に垂れ下がり木陰をつくっている。そこに立ち、眼下の川面に目をやると、一瞬人目から完璧に隠れたような気分になるのか、人間のオスが安心してマーキングする有名なスポットだ。男を視界に捕らえつつそのまま歩いていると、角を曲がった野良犬が小走りにこちらに向かって近づき男から数メートル手前の塀に素早くおしっこを引っ掛けて走り去った。本家「マーキング」だ。

まったく同じ場所ではないにせよ、人間と野良犬の哺乳類♂同士が真っ昼間ほぼ同時におしっこをする瞬間に立ち合うというのも思い起こせば記憶にはなく、得したような損したような妙な気分になった。

野良犬にとっては通常の己のテリトリー確認の一環なのだろう。普段はそんな光景を目撃しても、ああまたやってると、ただそれだけで通り過ぎるのだが、その日その瞬間、なぜか「路上透明コラージュ」という言葉とともに制作中のスクラップブックが頭に浮かんだ。

一人と一匹がその場を立ち去った後、彼ら一人と一匹が、日々刻々と変化し続ける「見えない地形のための地図」を「街中」と題された一冊の地図帳にスクラップ作業をしているように思えた。

立ち止まり、野良犬が残した塀のおしっこの染みを見ていたら、犬にとっての「おしっこ」が自分にとってスクラップブックに貼り込む「素材」にも思え、「スクラップ」と「地図」が重なった。

緯度や経度で限定される現実の地図でのテリトリー確認とは別に、個体それぞれの内にある記憶の地形を作っているようにも思え、ひょうひょうと走り去った先ほどの野良犬がとても高尚な生き物に思えてきた。

「日記」というよりずっと「地図」に近い、貼り込まれる印刷物は「地形」の断片のようなものかもしれない。

貼り込むごとに膨張する地図帳を手に、スクラップブックの中を行ったり来たり歩き回りながら、そこから見える風景を絵や立体に置き換えること、そんなことをずっと繰り返しているように思った。

昨年冬、北海道東部別海町で出会った一冊のノートブックを思い出していた。紙は酸化し、ページをめくるとボロボロに崩れてしまいそうな古びたノートブックは「別海温泉ホテル」に隣接する「なつかし館」一角のテーブルに、なぜか剣玉と一緒に無造作に置かれていた。全体的に丸みを帯びたその佇まいから、ノートブックは何かの「貼り込み帳」かもしれないと思った瞬間、全身の血が逆流するような興奮を覚えた。「スクラップブック」の本質がこちらを直撃した。

時の流れと共に通常は消えていく運命にあるもの、たとえば切符だったりポスターや観光資料だったり、道東にゆかりのある日常生活用品の一切合切を長年集め続けている「なつかし館」御主人の深い愛情の元、その崩壊寸前のノートブックは奇跡的に保管されていた。形が崩れないよう興奮する指先でそおっとページをめくってみた。

表紙から裏表紙まで新聞や雑誌から几帳面に切り抜かれ、各ページにビッシリと隙間なくレイアウトされ貼り込まれていたのは、すべて昭和二十年前後に公開された映画に関するイラスト入り広告や告知だった。自分自身が生まれる前に日本で公開された映画への異常な思いが小さな切り抜きと共に貼り込まれたスクラップブックを手に、言葉にならない透明の塊がそのノートブック全体をしっかりと包み込んでいる感触があった。ページのあらゆる箇所に、体温をまとう時間が進行形で流れているのを感じ、意味を超えた何かを手にしているような気がした。

それを制作した人物は関東出身の女性で、なんらかの縁があり札幌でしばらく暮らした後、別海町に移り住んだと御主人が話した。自分がかつていた頃からさらに三十年ほど遡る終戦直後の別海とは一体どんな地であったのか、話を聞きながら吹雪の原野が頭に浮かんでいた。都会育ちの映画狂の日本女性と別海を結んだ因果の元、厳寒の別海で一人映画広告の切り貼りを繰り返す彼女の頭の中にはどんな映像が流れていたのかを想像した。

ボロボロのシネマ・スクラップブックはこの世で彼女一人だけを毎夜「記憶の王国」へ導いた地図帳だったのかもしれないと思った。

野良犬がマーキングを繰り返しながら街中を軽快に走り回っている……そんなイメージが理想のスクラップブックにはある。

野良犬がいつしか地図から姿を消した時、興奮は退屈に変わるのだろう。

二〇〇八年七月

路上の鉛筆

クラクラくる蒸し暑い日中、宇和島の町中を流れる川沿いを歩いた。

連日の雨模様直後、呆気無くスカッと晴れた日は家の前を流れる水量の増した川の音がいつも気になる。突発的にキラキラと輝く川面が頭の中をザッと流れ、わけもなく川沿いを歩きたくなる。

道が川から逸れた先の露地を出ると坂道に出た。その坂を登りきると網フェンス越しに娘二人の通った小学校の校庭が見える。遠くで青臭いブラスバンド部の音が響いたような錯覚を覚えた。

夏休みで空っぽのムッと灼けた校庭をしばらく眺めた。小学生の頃、そんな校庭の真ん中で使いかけの鉛筆を拾ったことを思い出した。

その鉛筆は踏まれて表面がズタズタの丸い軸の短い鉛筆だったが、学校で使っていたＨＢではなく６Ｂだったことに興味を惹かれてポケットに放り込みそのまま遊びを続けた。

家に戻り6Bという未知の世界を取り出すと一体どれだけ濃い線が引けるものなのか無性に線を引きたくなった。タダで手に入れたという意識もあったのかグルグルと乱暴に紙の上に何重も丸を描いた。グルグルグルグル真っ黒い竜巻きのような線が現われた、それだけの思い出に突き当たった。あれは一体何だったのだろう、田舎町の小学校を眺めつつそんなことを今頃になって思う。

上空に向って一気に伸びる一本の鉛筆が、ギラギラの太陽を背に真っ白に灼けた校庭ド真ん中に立ち上がり、グルグルゴーゴーと砂煙を撒き散らしながら巨大な円を描いているような、そんな光景が浮かんだ。

あの頃同様、路上に鉛筆を見かけると今でも微妙に心が動く。これ一本で一体何枚の絵が描けるものなのか、そんな事をいつも思う。

その感覚は、ビジネス・ホテルのベッドサイドにメモ用紙とともに常備されている持ち帰り可のボールペンへの思いとはまったく異なる。ホテルのボールペンにはデザイン的な興味を覚えることはあるが、なにかを描こうといった気持ちには結びつかない。

筆記用具が以前ほど必要とされなくなった昨今、路上に鉛筆を見つけても興奮して拾う人間などほぼいないだろう。

黒鉛の粉末を固めたものを木で覆った棒を使わなくても人類はもっと高度で洗練された筆記技術を手に入れた。文字は液晶パネルを通して打ち込むものになり、人は路上への意識ではなく至近距離の携帯画面とともに二本足歩行をするようになった。路上の鉛筆は何故に自分を絵への衝動へ導くのか、なぜホテルのボールペンには感じない創作衝動を刺激されるのか。頭の中で一本の鉛筆がゆっくりと回転し始め、鉛筆と似た匂いの一枚のレコード盤が記憶の底に現われた。そして路上の鉛筆から立ち上がる衝動の大本には「出会い」が関係しているのかもしれない、ふとそう思った。

路上の鉛筆が引き込んだレコード盤とは、二十八年前初めて訪れたロンドンで最初に出会い一緒に暮らしたイギリス人夫婦から借りたままジャケットも中袋もボロボロになってしまった「アストラル・ウィークス」というアルバム（ヴァン・モリソンが一九六八年十一月に発表）だ。

当時、何度かみんなで聴いた彼らお気に入りのアルバムで、バタバタと帰国する際、古臭いステレオに立てかけられた床置きのコレクションの中から手渡されたのだが、なぜか自分の中でははっきり「借りた」ことになっていた。日本に戻ってからもそれを手にするたび気になり続け、再会の機会が訪れたらいつか手渡しで返そうと長きにわたり心の中で宙吊り状態にあったビニール盤だった。

七〇年代後半、その二人に出会った時はともに二十代、英語もろくに話せず友達もいない自分に住まいの部屋を貸してくれ忘れられない日々を与えてくれた恩人夫婦である。旦那は、イギリスのミュージシャン、イアン・デュリーがブレイク前に結成していた「キルバーン&ザ・ハイ・ロウズ」というバンドの元メンバーで、美術を目指す奥さんはそんな彼を支えながら高級クラブの受付嬢をしていた。ブリクストン、ホワイト・シティーとその夫婦が引っ越すたびに僕は後を追うようについてまわり一緒に住んだ。

当時旦那の方は、ブライアン・イーノの「アナザー・グリーン・ワールド」や「ミュージック・フォー・フィルムス」など、七〇年代後半の重要なアルバムにもピアニストとして参加していたのだが、生活のため毎晩遅くまでレストランのピアノ弾きをしていた。

そんな二人を日常で見ていると、いつか自分にも人並みにチャンスとやらが訪れるのかもしれないと脳天気なりにも希望が湧き、彼らの家から毎夕ソーホー近くのフィルム現像所へゴミ掃除に通い、拾い集めた材料でスクラップブックを作り続けることができた。そんな思い出がとりとめもなく心に湧いた。

昨年人づてに彼らからの手紙を受け取り、ロンドンでそのレコードを手に二十数年ぶりの再会を果たした。待ち合わせ時間を五分ばかり過ぎた頃、雑踏の中に振りかざされた手を見つけると、昔と変わらぬ笑顔が二つ、こちらに迫ってきた。長い年月は一瞬で消え去り、その日の朝三人でブリクストンの家を出たばかりのような気分になった。

その後奥さんは望みをかなえ美術学校を出て絵描きとなり、旦那はミュージシャンとして成功し音楽事務所を持ち作曲の仕事もしている。子供は男三人、一人はギタリストになったと言った。

ボロボロのレコードを手渡すと、忘れずに返してくれた御礼にあげると笑った。そして、ハンバーガーとチップス、ビールを御馳走になり別れた。

そのレコード盤のやりとりを機に、当時ここにいたころの制作衝動が再び湧いてきた。また、忘れていた感覚が今につながったように思った。

世界中の路上に落ちている使いかけの鉛筆を想像した。

その中にもおそらく「特別な時間」を閉じ込めたまま路上にころがるものもあるのだろう。モノの中に帯電する記憶の時間と制作衝動……坂道を下りながらそんな妄想に浸った。

二〇〇五年八月

写真ゾンビの逆襲

先日久しぶりに東京の実家に寄り、無造作に棚にあったアルバムをめくっていたら八歳から九歳にかけて撮ったモノクロ写真が十点ばかり出てきた。なぜ反射的に年齢を思い出したかと言うと、そこに小学校三年から四年にかけて家族で仮住まいをしていた西池袋の家の室内や庭が写っていたからだ。

一九六三年から東京オリンピックの開催された翌六四年にかけてのことだ。それまで多くの友達と遊び呆けていた大田区の工場地帯での夢のような日々から突然転校、通勤ラッシュでの電車通学、友達ゼロと環境が激変した。すべてが嫌になり、仮病が効かなくなると毎朝フトンからトイレへ猛ダッシュ、内側から鍵をかけるという全面登校拒否状態に陥っていた頃だ。

きっかけは記憶にないが、その頃家にあった安物カメラで遊び始めた。

父親の生涯を通した趣味は写真だった。しかし自分が初めてカメラを手にした当時、父親が写真に入れ込んでいた記憶も、また家族から気分転換にカメラを与えられたといった美談めいたエピソードもまったくない。家には写真集はおろか画集や文学全集といった類いの芸術的、文化的な空気を放つものは一切なかった。初めてのカメラを手に拾ってきた白い犬と猫を追いかけて撮っていた思い出や、安物カメラにフィルムをセットしシャッターを押すだけで大人と「同質の世界」を手にできることを知った興奮がいまだ自分の中におぼろげに貼り付いている。

そんな遠い日々の記憶に浸りながら、偶然見つけた両親のポートレイトや犬猫の陰影を眺めていると、忘れていた時間が光とともに再び流れ始め、すでに自分の記憶から飛んでしまった様々なディテイルから、当時の初めて体験していた「独り」感覚が浮き上がってきた。

「写真機」に対し日常的な便利な道具というイメージを持つと同時に、一瞬で世の中の一期一会の光影を写し取る「せつなさ」「儚さ」を子供心に感じた。

二年程前、十八歳の時に写した写真と絵を組み合わせた『18』（青山出版社）を上梓した。三十年前に確かに自分自身で撮影しほぼ記憶にない写真を眺める感覚は実に不思議で、暗室の赤い電球の下、三十年間という時間を要し現像液の中で像を浮かび上がらせてきた写真の意志を感じた。

そのことをきっかけに、「写真」について通り過ぎていた事柄が時々気になり出した。

僕自身は「写真」についての専門的な常識や知識は何もないが、今でも「写真」と聞くと「魔法」という言葉が浮かぶほど、いまだに摑みきれないもどかしい感覚が続いている。それが一体何なのか？

「いい写真」「わるい写真」といった表現をよく耳にするがその基準は一体何だろう、といつも思う。「写真」の用途は無数だ。用途による人それぞれの価値観もまた限りない。それらを鑑みて「写真」というものに頭を巡らすだけで思考が止まる。

僕自身は他人の写真を見て「いい／わるい」と感じた経験がない。写真展に行ってもその構図や焼き具合を念頭に見ないし、立派に額装され芸術性を全面に展示されている場に身を置くと居心地が悪い。

プリントされたものにしろ網点印刷されたものにしろ、さまざまな形で「写真」は日常の中に露出する。そんな数限りないあり方で僕の中に入り込んでくる写真に接し、例えば現像所アシスタントによる単純ミスによる事故のようなものまで含め、シャッター回数分の「写真論」があるのを感じる。主は人間ではなく実は写真なのではないのか。

「一八五〇年のロンドンには六〜七軒のダゲレオタイプ写真館があるだけだった」（『写真の歴史』クエンティン・バジャック著、創元社）などというフレーズをたまたま目にした後、それからわずか百五十年後、現在のテムズ川脇のロンドン・アイあたりの観光地でカメラを手にする群集の光景を頭に浮かべただけで「写真」というもののバケモノ性がドッと立ち現われる。

回り続ける地球上で、ほとんどの人がだれに頼まれたのでもなく自発的にハッピーに「チーズ！」の雄叫び（日本だけかもしれないが）とともにシャッターを押し続ける。考えてみれば恐ろしい風景だ。「写真論」などと悠長なことに頭を巡らす人間どもをせせら笑いながら不気味に増殖するウィルスのような恐ろし気なイメージが浮かぶ。デジタルが写真に侵入した今、どうも人間は「写真」をなめすぎていないか、そんなヤワな手合いではないのではないか、なにかこれから先、「写真ゾンビ」の逆襲が待ち構えているのではないか、といったバカげたことにまで思いが巡る。

写真を元に木炭を使って絵を描くことが時々ある。墨色の階調で形を取っていると時々「紙上の露光」といったことが頭をよぎる。自分にとって写真と木炭画の間はどうも「光関係」でつながっているらしく、自分にとって写真とはその出会いに始まり、木炭で紙の上に時間をかけて少しずつ露光させ完成に至る、その過程のことすべてを指すのではないかと思う時がある。

「ものを見る」ということは、人それぞれ異なる内なる反応がなにかしらの「形」になっていってしまうことで、その「形」自体が「ものを見る」ということなのかもしれない。網膜の向こう側には計りしれない「ものの見方」が無数に潜んでいる。

人はそれぞれの内側に何枚もの未露光フィルムを持ってこの世に生まれ落ちる。それらは人が確実に何かを「見た」時にだけ露光反応を開始し、それと呼応するように「記憶」につながっていく。露光した内側のフィルムを何枚も持ち続ける人が稀にいて、本人はそんなこととはつゆ知らず海辺の岬の突端あたりで釣り人相手のひなびた食堂なんぞをやりながら人生を送っていたりする。そんな人間と出会う時、人間の身体ほどよくできた写真機はない、そう深く納得する。

二〇〇四年二月

ペーストされた時間

六月から七月にかけて二年ぶりの展覧会「UK77／写真、絵、貼」があった。展示内容は一九七七〜七八年、約一年間滞在したイギリスでの写真、絵、コラージュ作品で、二十一、二歳当時に制作したものだ。

一九七七年の春、第一日目のロンドン路上、落ちているものの上にはあまりに呆気なく「英語」が刷られていた。その光景には、超至近距離のために見えない、既にそこにある「答え」が、上り下りの列車がすれ違う瞬間舞い上がる、そんな風に渦巻いていた。しかもタダ。いくらでも何かを作れそうな思いばかりが先回りして身体が熱くなった。金銭的余裕はなく知人友人もいないロンドンで、その日手に入れたチケットやチラシ、路上で見つけた印刷物をノートブックに貼り、写真を撮り、人々の絵を描いた。そんな初めての海外生活で、現在も継続中のスクラップブック・シリーズがその三カ月後に開始した。

その一年間は、未知なる環境の中で、新たな友人との出会いもあり、ものを作っていく上で多大な影響を与えられた時期だった。当時のイギリス滞在中に作った作品だけをまとめて展示するのは初めてで、準備を進めていくうちに様々な予想外の発見があった。

展覧会の発端は作品集『UK77』（月曜社）で、その本の大半を占める多くの「写真」を、並行して作っていた「絵」や「コラージュ」作品とどのように組み合わせるのかが本の編集と展覧会との共通のテーマだった。

写真をあるテーマに沿ってまとめたものを「写真集」とし、画家が描いた作品をまとめた本を「画集」と呼ぶことに人は素直に納得するが、それらを同等に扱った本となると、あまり見かけない。作者本人の意図に曖昧な印象を与えるためか、その手の本は基本的に「色物」ジャンルに直行することが多い。

「画家自身がありきたりの日常を撮った写真集」というのもあるが、偏見なのか、その手の本にはどこか趣味的な印象を感じ、刺激を受けることはない。例外的にピカソやドガの写真集が興味深いのは、それらの「写真」が「絵を描く」という一点への思い、画家の業務写真的現場風景に圧倒的な空気を感じるからに違いない。「画家が目にするものはどんなものでも興味深いものだ」といった傲りや甘え丸出しの趣味本とは別次元の緊張感がページを貫いている。

普段は他人ごととしてそれらの本を眺めているが、自分に鉾先が向けられると過去の作品だからといった逃げ道はない。自分自身に限って言えば、「写真」「絵」「コラージュ」といった異なる表現方法が、当時それぞれどのような関係にあったのかを改めて考えそして納得することが、編集作業や展示方法を考える上での第一歩となった。

子供の頃から「絵を描く」ことは日常の根本にある。そして絵を描くことは、何かと何かを貼り付けることと、どうも自分の中で深く結びついているらしい。見たものを絵に落とし込もうとする衝動は、同時に対象を理解しようとする無意識の行動のようにも思える。絵にすることが必ずしも理解につながるとは思わないし、そもそも「見たものを理解する」とは一体どのようなことなのか的確な言葉が見つからない。今も昔もうまく絵にすることができたと感じた時は、対象が自分の身体の一部分になったかの変わらぬ快感だけが理解度の指針となっている。

絵と写真で大きく異なる点は、絵の場合、制作の動機が作者の外側にも内側にも普通にありうるが、写真は基本的に作者の外側にあることではないだろうか。写した現実の風景にその時の内側の心情が現われることはもちろんあるが、印画紙の上に現われる世界はあくまで自分を取り巻く現実を写し取ったものだ。絵は写真より時間がかかるため、善くも悪くも途中様々な考えが忍び込む。その点写真は考えの入り込む前に目の前の光景を写し取る事が可能だ。たとえ目を閉じていても、シャッターを押しさえすれば外側の光と影を写し取る事ができる。これはすごいことだと思う。自分にとって、カメラは目にした瞬間に引っ掛かるものを閉じ込めることが可能な装置だ。思考以前に気になる光を閉じ込めることができる暗箱だ。写真に撮りたいと思う対象の大半は、結果的に、自分の中の絵と結びついている。

コラージュはどうなのだろう。美術用語辞典では「貼り付けの意」と素っ気ないが、この定義には予想以上の真実が隠されている。

美術の世界では、スクラップブックなどに貼り込まれた作品に対して、自動的に「コラージュ」という技法用語を使用するが、その用語には長らく違和感を覚えていた。自分にとって「貼り付けの意」はより込み入った意味を持つ。それは何なのか。

思い浮かぶのはパソコン用語の「ペースト（貼り付け）」という用語だ。初めてそれを知った時、「ペースト」とはおかしな単語を使うものだと思った。paste や glue といった単語には指で塗りつける糊を連想し、非常にアナログ感溢れる印象を受けた。しかし実際にパソコンを使用し、パソコンと「ペースト／貼り付け」という単語が自然と頭に並ぶようになると、その組み合わせに、意図を超えたリアリティが立ち上がった。そして自分にとって「ペースト／貼り付け」といったパソコン用語の方が「コラージュ」という美術用語よりずっとしっくりしはじめた。そこに具体的に貼り込むモノ同士の世界、またそれらを貼り込んでいる時に立ち現われる内側のイメージや記憶、たとえば唐突に心に浮かぶなんらかの景色や時間までをも取り込む印象を感じた。

展覧会でどのように写真を展示するべきか、そのことがずっと心の中にあった。通常写真展で目にするのは印画紙を直接ピン留めする方法、またはマットで押さえた印画紙を額に納めて壁にかける方法である。自分にとって写真が「絵を描くこと」や「貼り合わせること」と同じならば、それに即した方法での展示を考えなければならないと思った。

最終的に、銀色のマット上に二、三のテクスチャーの異なる配管用のメタリックシルバーのアルミテープを貼り付け、その上に銀色のスプレーでペイントし、木製フレームには各国で手に入れたさまざまな言語による新聞紙を貼り付けた。その中に写真を納めることでそれぞれ異なる表現手段が一体化する気がした。

展覧会前夜、額裏から写真を納め、表のガラス板を通してかつて自分が撮ったロンドンの風景を眺めた。一瞬、額フレームは窓と化し、そこに奇妙な時間が流れた。その流れに一瞬で吸い込まれ、モノクロームの景色に今の自分がペーストされたような気がした。

二〇〇四年七月

見えない秘宝

三重県伊勢に行ってきた。日本最古の「元祖国際秘宝館」が近く取り壊されるという気になる噂を長年耳にしていたので、その前に是非、という裏お伊勢参りの旅だった。

九〇年代半ば、日本のローカル風景「日本景シリーズ」を毎月文芸誌に描いていた頃、各地の秘宝館を訪れたが、最大規模とうたわれていたそのスポットだけは足を踏み入れることがなかった。

元祖国際秘宝館内部には予想を遥かに超えた時空が渦巻いていた。見学中、奇妙な異次元を浮遊している思いがした。その場所がこの世に姿を立ち上げた瞬間から、「芸術」なんぞはなから遠く離れた場所で、ふてぶてしくチープでトリッキーな毒気を放ち続けてきた神々しさを感じた。世間の良識を存在自体で拒否し続け、とっとと駐車場に変身していく様に、真っ当かつ本質的なナニかが宿り続けているように感じた。

ふと気づけば連写モードで写真を撮っている自分に気づいた。

伊勢という独特な磁場に後押しされるかのように、何百体もの蠟人形を閉じ込めた記憶保存装置《カメラ》を操作しているような気がした。

普段は写真撮影をする方ではないので、いささか驚くと同時に、以前経験したローカル行脚時期の気分が蘇る思いがした。

シャッターを切りつつ、自分にとって興味深い「写真」とは何なのだろう、そんなことを元祖国際秘宝館で考えていた。

日々さまざまな用途に応じて世界中で生み出される無数の写真データ、そう考え始めると、なぜか思いが人類の血筋をさかのぼり出しクラクラした。

内部をカメラを手に移動している時、既視感を伴う「秘宝菌」が体内に増殖しはじめた。

ある「写真」にふと目が止まる、被写体そのものに特に興味があるわけではないにもかかわらず引きつけられる。そんなことが誰の日常にも時々起きる。

意味もなく目がある写真に釘づけになる、その瞬間、自分の中の「絵」がピクッと動く。この写真をいつか絵に置き換えよう、そんな気持ちがすっと湧く。写真を見ただけでは何かが届かない、いつもそんな気持ちになる。

目に止まる「写真」自体に芸術性を感じるとかいったことではない。むしろその真逆だ。その類いは切り取って、小さなノートに貼り込む。

一貫したテーマのない写真で埋まる膨らんだノートは、差し迫った目的がないままページを重ね続ける。それらを改めて見直すことは滅多にないが、先日ポロリ本棚から落ちたそのノートのページをペラペラ繰ってみた。

駅に置いてある観光チラシの五センチ四方のシアン一色刷写真、業務用カタログの商品カット、新聞の網点がボケた報道写真、ボトルのラベルに一角を占める二センチ角の版ズレカラー写真といったように、予想どおり、それ自体独立して成り立つ写真とはほど遠いものが占めていた。

「展示」「額装」「芸術」などと縁の薄い写真ほど、自分の中の「絵」と呼応し合うように思えた。

イメージに共通のテーマは見当たらず、被写体はごく事務的に、機械的に処理され極めて匿名性を帯びていた。

そこになぜ自分の中の絵が反応してしまうのか、いまだにわからない。

写真とは誰かの目撃の痕跡であり、意識するしないにかかわらず、写し取った瞬間から当人の記憶に組み込まれる。たとえ当人が忘れ去ったとしても残されたその写真を他人が目撃し、それに反応した他人が絵を描き、描かれた絵を誰かが写真に撮り、その印刷物を目にした人物が何かを感じ取り、といった具合に、一つの記憶の痕跡は予測不能の状況を無限に生み出していく。

写真と絵が組み込まれる心の中のそれぞれの場所は微妙にズレていると感じること

がある。

心の中の深い場所、浅い場所といったことではないが、内に言葉にし難いズレ感覚がある。

写真を絵に落とし込むことによって内側の同じ場所に置き換えようとする反射的な思い。

秘宝館内部ではスケッチする思いが浮かばなかった。短時間で仕上げる筆ペンや鉛筆による線には手癖が出る。その個性が逆に内部の空気を遠のけてしまうように感じた。出来るだけ自分をなくし、客観的に対象を色や形を通して紙上に置き換えること。そんな思いはかつて訪れた他の秘宝館で感じたこととまったく同じだった。写真による定着だけでは届かない思いがしばらく続いた。

写真と絵の間で揺れ動く表現手段の問い詰め、そんな思いが以前同様にこちらに迫った。

それが何なのか、結局見つけ出す前に伊勢の元祖国際秘宝館はこの世から姿を消していく。

ローカルに繰り返し現われる事象の影、いつの時代も時間の中、至近距離にブラ下がり続ける「視えない芸術」がそこにはある。

二〇〇七年三月

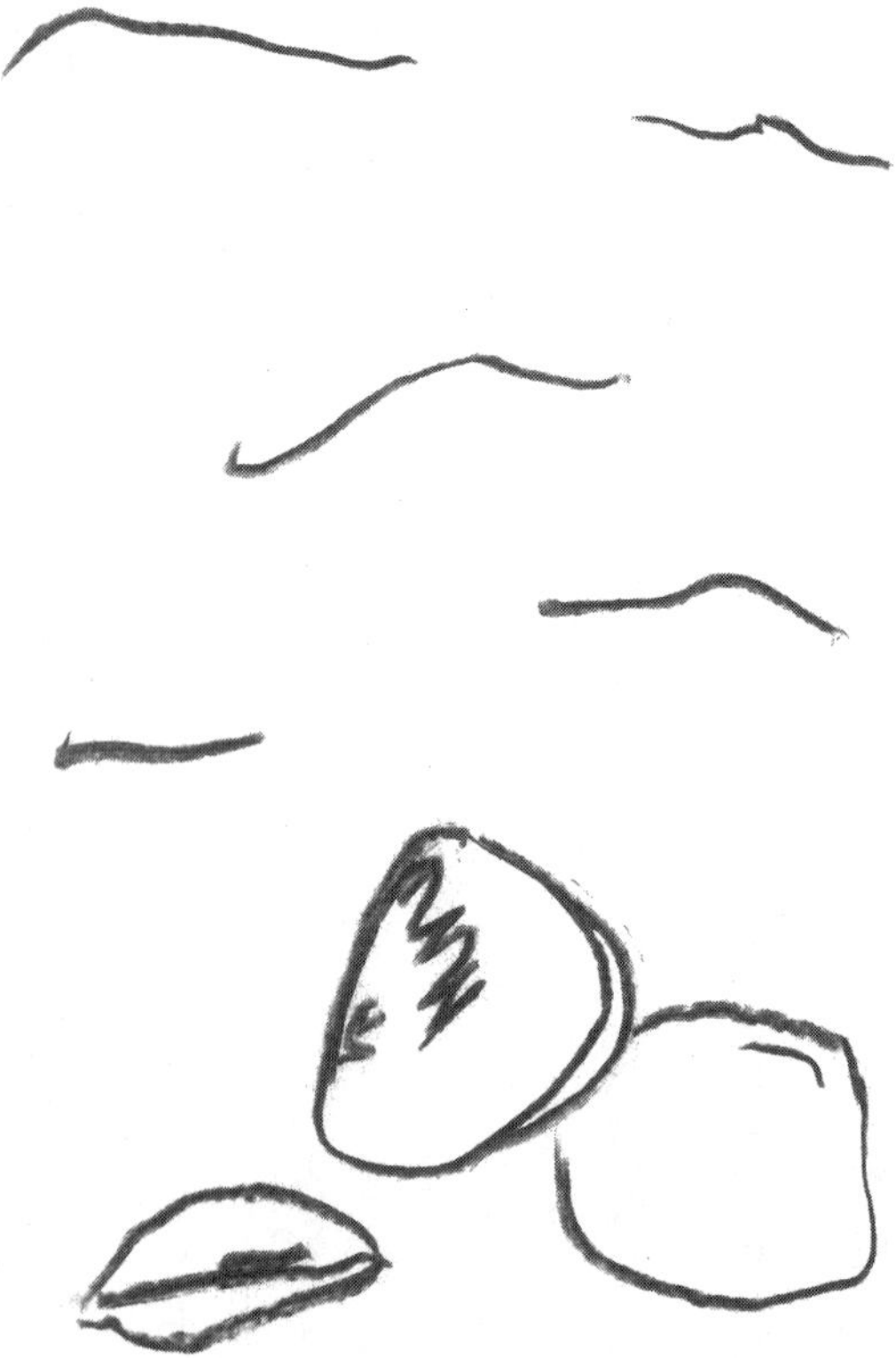

消動と衝去

観光客相手の土産屋に入ると、これまで出会った人々の顔が次々と頭に浮かぶことがある。

つい最近知り合った人、何年も音信の途絶えた人物、近い友達も含めさまざまだ。このダサい壁掛けは誰に、この地名入りのエグい御当地雪駄はあいつに、ベタな文字入りキーホルダーはあの人にと手渡した瞬間の顔を思い浮かべながら表情と物の神経衰弱ゲームに突入する。

土産屋では時に自分と知人との関係に無意識の尺度が入り込む。土産物を受け取った瞬間、他人による予期せぬこちらのイメージが強烈に伝わる瞬間がある。大きな誤解と思うと同時に、思い込む自画像とは真逆の真実を突きつけられることもある。

土産物がペラペラであるほど裏側の毒が現われ、どうでもいい土産物ほどコンセプチャルな空気がまとわりつくことも多い。

何年顔を合わせなくとも、変化し続けるこちらの好みを見透かしたようにジャストな土産物を手渡してくれる人物もいる。その瞬間、土産の真意をふと考える。贈り手の意志を超え、善意と悪意が表裏に刻印されたコインがクルクルと心に舞う。

先日、タイから帰った土産物高打率の友人がタイ語のチープな風合いを醸すギター教則本を贈ってくれた。立ち寄った本屋で目にした最低のデザイン・カヴァーにこちらの顔が浮かんだのだろう。小判で鮮やかな色の上質紙カヴァーのオフセット印刷物だ。素晴らしくダサカッコいい、が、なにか違う。そんな時いつもならクッともたげる創作衝動が起きてこない。

佇まいに東京がカスっていた。タイというより新大久保駅前辺りか。本家タイの教則本はそれに気づいていない。きわどくこちらを挑発してこないのはなぜか？　こんなはずではない、隠し味系印刷王国タイだろ？　本当にタイの刷り物？　こんなに綺麗なのが？　こりゃあマズいな、と複雑な思いが駆け抜けた。

十年以上前にミャンマーに暮らす友人から受け取ったタイの隣国カンボジアのカラオケ本カヴァーが頭に浮かんだ。版色はズレまくり、ペラペラで本というよりホッチキス止めのパンフに近い。サイズがバラバラの本文用紙はざら半紙でガリ版刷り、これを手にした時は衝撃だった。カスレもクソも知ったことではない、すべてをブッチぎる反逆のメロディー印刷全開の逸品！　制作衝動計針はレッドゾーンを一気に振りきった。いつかこんな刷り物を作れるようになりたいと本気で思った。この世にこんな素晴らしい印刷物があったのかと大きな希望が生まれた。今から先、すぐれモノはカンボジアでしか刷れないだろうと真剣に考えた。

十数年の時を隔てそれら隣国同士で生まれ落ちた二つのカヴァーが頭の中に並んだ。印刷技術の進歩は確実に自分の中の制作衝動に真逆の働きを及ぼしていた。進歩によって自分の中の何が消え去ったのか、進歩と衝動の関係とは何だろうと思った。

無数の形あるモノの上に微細な変化は刻々起きている。普段誰も見向きもしない一端にある時ふと気づく瞬間、初めて取り返しのつかない本質の地盤沈下に言葉を失う。誰にも止めることのできない力と消え行く森羅万象、そこに制作衝動は関係するのか？

人から「創作の源となるものは何か？」といった質問を受けることがある。頼まれもしないもの、作らなくとも誰も困りはしないものを飽きもせず繰り返し作る、その心は？　といったことだろう。

絵を描く毎日について、ああだこうだ自問しつつ答えていると、相手もいいかげんハッキリしろといった気分になるのか、一気に本質的な質問に流れは傾く。

一枚一枚の絵に対する衝動要因として「土産物と絵」といった事柄で切り抜けようとすると、相手はこちらの一瞬のひるみをつき、より大本の継続的な制作衝動へとにじり寄る。こちらの煮えきらない自問自答はそこでプツリ途切れ、口ごもる。「あえて言うなら……自分の場合『怒り』に似た感情に近いでしょうか……」といった具合に歯切れの悪い答えに至ることになる。

では、何に対する怒りなのか、そしてその仮想敵のようなものは一体何なのかを聞いてくる。敵？　……ではない、しかしではなぜに怒りに近い感情が湧くのか？　再び無言で自問する地点に戻っている。敵からは遠いが怒りに近い感情、これは一体何なのか？　そしてわからないまま再び絵を描く日常の中に戻る。

先日、近づく展覧会のため、三十年以上前の資料を探すことになった。早くこの作業から解放されたいと思いつつ、アレコレと蟻地獄の巣穴にすべり込んでしまったかのやり切れなさがのしかかった。結局言いきれないまま終わってしまうのか、と思った瞬間ふと「仮想敵」が頭に浮かんだ。若い頃の資料探しが触媒となったのか、以前の問いが舞い降りた。

自分を消し去ろうとする抵抗不可能の力？

自分にとって創造とは、技術的な事柄や何かを作り出す喜びの前提として、自分を無に追いやろうとする力に対する抵抗が根底に大きく関わっている。自分の信じていることを消去フォルダーにポンッと押し込めようとする避けられない力への無意識の抵抗、それが漠然と仮想敵と呼ぶ事柄であり、そう簡単に消去されてたまるかといった抵抗が怒りに近い感情を立ち上げる、そんなことを思った。

すれ違う人の、一瞬で消え去る匂いに子供の頃の鮮明な記憶が蘇ることがある。自分以外の人間にとってはまったくどうでもいい偶然や無意識が決定的な解決への糸口になることもある。技術の進歩は消去からの距離を稼ぐと同時に衝動から遠のくのか。一瞬で消え去るあやうい出来事、消去に限りなく近い取るに足らぬ物事、そんな所にも衝動につながる回路があるのかもしれない。

タイのギター教則本はまだ消去フォルダの外にきわどく置かれたままだ。

二〇〇六年六月

四文字の狼火

昭和三十五年(一九六〇)九月三日封切り、マイトガイこと小林旭主演の「南海の狼火《のろし》」(監督/山崎徳次郎)という日活映画がある。

愛媛県宇和島市でのロケーションと挿入シーンのセット撮影によるこの映画は、大ヒットした「渡り鳥シリーズ」に続く「流れ者シリーズ」の第三作目として世の中に登場した。

「海の香りが故郷さ」とギター一本かついでフラリ港に降り立った流れ者の野村浩次(小林旭)が、拳銃と数珠を手に東京からやって来た坊主の政(宍戸錠)に襲いかかられた海女を救い出すあたりから物語が動き始める。

真珠養殖屋の一人娘須賀清子(浅丘ルリ子)との純愛やキテレツ裏街道を突き進む男同士の友情を絡めつつ、地元のやくざ組織に、浜で港で「キャバレーパラダイス」で「ホテル宇和島」で一人立ち向かう男の姿が、闘牛祭りを見せ場全開に炸裂する勧善懲悪無国籍アクションストーリーだ。

映画前半、真夏のギラつく陽光のもと、二つの直方体がL字型に組まれた素っ気無い建物の旧宇和島駅舎が一瞬写し出され、そのてっぺんにそれぞれ独立して並ぶ「宇」「和」「島」「駅」が逆光の空虚な南国空背景に浮かび上がる。十五年ほど前、友人が送ってくれた録画ビデオでこの映画の存在を知った。映画封切りから既に三十年あまりが経過していた。

それから間もなく駅舎新装のため老朽化した建物が取り壊されるという噂を耳にした。その後、地元の人々の前向きな協力の結果、廃棄される運命であった、一文字約九十センチ四方の「宇」「和」「島」「駅」四文字を譲り受ける幸運が訪れた。そこに作品化といった小賢しい目的があったわけではない。長きにわたりこの地で生きてきた人々の出会いや別れを屋根の上から見守り続けた四文字がそのまま廃棄されることは、そこに生まれ育った身でなくとも耐え難く、取り壊し直前の旧駅舎の屋根に登らせてもらい、文字を取り外す許可を得た。

初めて至近距離で目にするそれらのディテイルには制作当初ネオン管が組み込まれていた痕跡が残り、確かな腕を持つ職人によるブリキへのリベット打ち技術でしっかり駅舎につなぎ留められていた。

いくつかのリベットの頭を指先で触れていると、実は今、駅舎屋上でとてつもなく重要な瞬間に立ち会っているような気持ちになり、作業終了後、空っぽになったその場所からもう一度街中を見渡して地上に降りた。文字は仕事場の隅に立てかけたまま数年が過ぎた。

その後、新潟県新津市の美術館で、日本の「ローカル」を主題にした個展を開くことになった。準備のための現地滞在中、どうにも制作の糸口が摑めないまま歩いている時、突然「宇」「和」「島」「駅」の四文字が映像に焼きつけられた旧駅舎とともに頭を横切った。四文字にネオン管を入れ直し再び組み立ててみよう、そう思っていた。それら四文字が何故に自分の中で日本景と結びついたのか、展覧会作品制作中いろいろと考えた。そしてきっかけであろう遠い昔のある日の出来事がジワジワと蘇って来た。

高校を出た年、北海道東部の牧場で働いていた。その翌年の真冬、夕張山地北部に位置する炭坑街、歌志内に運転免許取得目的で二カ月ばかり滞在したことがあった。当時、そこは寂れた小さな元炭坑街で、稀な晴天日は、街中に漂う石炭の匂いと強烈な影が絡み合い、自分の内側に奇態な光景をいつも組み上げた。

当時は砂川という中継駅から無人駅の続く歌志内線が伸びていて、貨物専用となった蒸気機関車が日に数本、真っ黒い煙をゴーゴー吐きながら走っていた。

歌志内の自動車教習所から歩いて十分くらいの所に空家となった炭坑長屋の一角があり、免許取得まで一括三千円で泊まれると知り早速そこを根城に決め、教習所に通うことにした。

　東京の家を出てから一年近くが経っていたが特に差し迫った予定もなく、石炭の匂い染み付く真冬の雪国にはもう二度と来ることはないように思え、講習が終わると毎日ぶらぶらと歩き回り写真を撮り、また絵を描くという日々をズルズルと送っていた。

　ある日、いつものように教習所の教科書を開くと、「標識プレート」の解説ページに、矢印とセットで印刷された「銀座」「新宿」「渋谷」という白抜きゴチック体文字がグサリと目に留まった。いつもは意識することなく素通りするページ上の地名が瞬間ストンと心の奥底に突き刺さり、しばらくわけもわからないまま文字を見つめた。この感覚は一体なんだ……それらはパラダイスへの遠い遠い入口に見えると同時に「嘘などではなくオレは確かに去年までコノ標識が立つ場所にいたのだ！　信じてくれ！」と、隣に座る他人の胸ぐらを摑んで伝えたい衝動にかられた。

　あの時、生まれて初めて自分自身の肉体と日本語文字とが真っ当に交叉した瞬間であったのではないか、そんなことを今さらながら思う。

　己の肉体とつながりのあった地名文字を繰り返し目で追うこと、ただそれだけで予想もしていなかったさまざまな風景や思い、音や光が心に浮かんでは消え、最後はそこに何か漠然とした可能性を見出し救われる思いが込み上げた。無味乾燥な教科書の中に一色で刷られた数ミリ四方の地名文字がこれほど人の心を動かすものなのか、そ

れない。

自分の選び取ることのできない出生の地、その時代、そこにあらかじめ貼り付く地名というものは、そこを飛び出して初めてその人間の内側に食い込んでくるのかもしれない。

人が場所を移動することとは、地名のあいだを目まぐるしく行き交うことでもある。肉体が出生地から移動することは、その場所に貼り付いたままの地名とその人間の心の中に否応なく在り続ける地名とが分離することでもある。

距離と時間の中に封印された感情が、その後の唐突な「地名」との出会いによって一気にその人物の中に込み上げるのだろう。

結局「宇和島駅」には想像の中に浮かんだ赤色ネオン管を組み入れ、田んぼに囲まれた美術館屋上へ設置した。日が暮れ、真っ暗闇の中でネオン管文字の最終点滅チェックをしていると、自転車を引き、黙ってそれを眺め続ける地元のじいさんが隣にいることに気がついた。

「一体いつ頃ここには線路が通るんかい?」そのじいさんはネオン光を見上げたまま、そんな意味合いのことをポツリと言った。それを聞いた美術館学芸員は一生懸命それが「芸術作品」であることをそのジイさんに説明しはじめた。

ひとしきり説明が終わると、じいさんは「で、いつ頃線路が通るんかい?」と聞き返し、けげんな表情で闇の田んぼ道に消えて行った。
真っ暗闇に点滅を繰り返す「宇和島駅」の狼火のような赤光に、「血」の一文字が浮かんだ。

二〇〇五年七月

F型の衝動

市販のキャンヴァスは縦と横の比率の違いで基本的にF型、P型、M型に分類される。

Fは人物型（Figure）、Pは風景型（Paysage）、Mは海景型（Marine）を表しF10号、F20号……と型表示後の数字が大きくなるにつれ面積は増すといったこと、また布目にも細かいものから粗いものまで段階があることなど、「キャンヴァス」にもいろいろ事情があることを十代の頃本で知った。

型や布目についての知識を得た後、油絵に興味は増したが、キャンヴァスを購入して、どんどんと絵を描き、それぞれを試すといった金銭的余裕がない事情も浮かび上がった。

しかし油絵を次々と描きたい欲求は増すばかりで、いつのまにか、拾ったりどこかで手に入れた段ボール箱を解体して裏面をキャンヴァス替わりに使用することが多くなった。その方法を誰かに教わったのか自発的に始めたのか記憶にないが、油絵と関わり始めた早い時期から段ボール紙と油絵具は気がつくとセットになっていた。

油絵具は色種によって微妙に乾燥の速度が異なる。速乾剤で調整する方法もあるが、入れすぎて失敗した経験から自然乾燥させるようになっていた。吸収の度合いが少ないキャンヴァスに絵を描く際は、新聞紙上に絵具を出し油分を抜き取ってからパレットに移して描くことを誰かに教わった。それだけで速乾剤抜きでも乾燥がかなり早まることがわかった。

その点段ボール紙はそれ自体が油分を吸収するので新聞紙工程抜きで絵を描けること、またそれぞれ微妙に異なる紙地色をそのまま下塗り画面として絵をスタートできる利点もあった。

段ボール紙に絵を描くようになってから、絵具と塗り残した下地の組み合わせに興味を覚え、絵具を塗らない部分も絵の一部であること、また「描かない」という描画法を覚えた。これは自分にとっては大きな発見だった。

そんなことを繰り返すうち、冷蔵庫用の箱は大きめの絵に、また扇風機用は中くらいの絵にというように、サイズ把握の感覚は正当絵画様式からではなく、日本製電化製品の大きさが結果的に自分が頭に描く絵画サイズとして自然に馴染んでいった。しかもタダだ。これは金欠の若者には大きい。油絵具はキャンヴァス上に塗るためだけにあるのではなく、どんなものに塗ってもかまわないといった方向に気持ちは解放された。

こうして電気屋や路上で偶然に手にしたサイズと絵との関係、失敗を気にせずリラックスした状態で絵を描く態度は、いくらでも代わりのきく段ボール箱という存在を通して、知らず知らずのうちに培われていった。

絵画面の比率と言ったところで手元のキャンヴァスを縦横どう使おうと斜めに描こうと裏返しに使おうと本人の自由だが、自分自身はキャンヴァスに絵を描く際、比較的正方形に近いF／人物型キャンヴァスを使うことが多い。

絵のサイズと頭の中に漠然と浮かぶイメージとの関係を理屈で説明することはできないが、F型の比率にはなぜかホッとする感覚があり、普段意識することのない西洋の絵画様式に、理屈を超えた説得力を感じることがある。

早い時期に絵の一部として関わることになった電化製品梱包材サイズと関係があるのか、F30号（九十一×七十二・七センチ）とF10号（五十三×四十五・五センチ）、この二種類のキャンヴァス・サイズには特別な親近感を持ち続けている。この二種は自分にとっての自然体サイズなのか、気負うことなく絵に入って行ける白い「未知なる窓」に感じる。

今年に入ってからは、主にF10号サイズのキャンヴァスに絵を描くことが続いている。飛行機、海景、船、森、人物、コップ、花瓶と花、月、地平線、馬、車庫と車、サーファーと波、椰子、池の鯉、庭、雪景色と列車、インド人の女、タヒチの女、メキシコ人の男、ビル街の野良犬、岩場のシュロ、カスバ風景、象、牛、ピストルと男、石像、木船、山道、ゴーギャン肖像、池、想像の街並や静物画、それが止むと四月に訪れた北海道の牧場風景が続いた。その後アフリカの木彫、再び空想風景、熱帯風景十数点、といったところでいったん気持ちは治まっている。

定期的にこんな状態が訪れる。制作と直接関係のない雑務が続くと、絵への衝動が溜まり始める。その衝動には具体的な「目的」がない。

内側に溜まる実体のない思いを絵として吐き出すと、気持ちは確実に軽くなるが、それが続くと当然物質としての絵が仕事場に溜まり始め、それが三十点、四十点となるあたりから独特の圧力が生じる。いつもこの繰り返しだ。

描き上げた絵が部屋の中に増えてくると、なんとも息苦しい空気が漂い始める。そう感じた時はとりあえず絵を目の届かない場所へ移すのだが、そんな繰り返しが自分にとっての「絵」なのだろうと思う。

「なぜ」という問いが成り立たないうごめくアメーバ状の意思。「絵」に思いを巡らすとき、そんな思いが浮かんでは消える。

先日、戦後、宇和島駅のそばに建てられた日本家屋解体現場に行った。その場所は二十年前初めてこの地を訪れて以来、さまざまな思い出が詰まった場所だ。ほぼ解体が終わり、記憶の中の外観とはまったく別の光景が広がっていた。瓦礫の山を前に、いきなり大切な記憶をもぎ取られたような気持ちと長らく静止していた時間が再びゆっくりと動き始めたような清々しさが同時に湧いた。

ふと「絵」と似ていると思った。

現場の一番奥まった場所に二列に並ぶ歪んだ茶色い直方体が目に入った。それらは乱雑に高く積み上げられた家屋内の障子や襖の山だった。泥にまみれた障子枠に組み込まれた窓ガラスは割れ、前夜の雨で唐紙は破れたまま膨れ上がっていた。

晴天の陽光の中、眩しい緑の山を背景に並ぶ歪んだ立体物を遠目に眺めるうち猛烈な制作衝動がムクムクと湧いてきた。カサカサ風に揺れる不定形の唐紙を目で追いつつ、その魂の上に濃いブルーの塗料を大量にかけるイメージがいきなり湧いた。それらは今何か別のものに成りたがっているように感じた。

積まれた建具に回り込み改めて眺めた。その魂には、かつて路上で拾った段ボール箱と同じ匂いがした。

二〇〇七年五月

おしまいの看板

「絵はどこで終わるの？」

美大に通っている頃、小学生相手のワークショップにかり出され、そこで低学年らしき一人の女の子からこんなことを唐突に聞かれた。

その問いの主旨は、一度描き始めた絵をあなたはどうやって完成とするのか、そこいらへんがなんかよくわからん、といったことだろうと思った。

自分が描いている絵を何をもって終了とするのか？

この本質的かつシンプルな質問に対して目の前の女の子にどうやって返答したものか……一瞬目が泳いだ、これは結構深い、これは困った。

当時美大生であった自分も漠然と毎日そんなことを考えていたわけであり、絵に関してわかりやすく即答できるほどの経験もなく、その子の疑問は即座に自分への問いとして食い込んできた。

自分は一体絵をどこで終わりと判断しているんだろう？

貴様は絵をめざす成人男子として毎日真っ当にやっとんのかい、ンー？　適切な答えが見つからずモジモジしているうちに、屈託のないつぶらな瞳にすべてを見透かされているような気分になった。しばし沈黙の後、自分用の答えはとりあえず脇に置きこんな風に答えた。

「あのね……『おしまい』って書いてある看板を持った人が遠くから歩いてやって来るんだよ、その人と目が合ったらおしまいにするの、わかった？　わかったよね？」

その子はキョトンとしていたが、ふーんといった煮えきらない様子でその場を離れた。一瞬身の危険を感じたのかも知れない。

わかるわけないだろ、なんなんだお前、「おしまい」の看板持った人って。自分でもよくわからないまま答えていた。なんか妙な答え方になってしまったとは思ったが、まあデマカセな嘘だけは言わなかったとピンボケの自問が心に残った。

その子は家に帰り「ママ、今日ねお兄ちゃんがねえ『おしまい』っていう看板の人にあったらおえかきを止めるって言ってた……」とますますワケのわからぬ話に突入していたのか。しかしあの子はあの時何を思ったんだろう、三十年あまりが経ち絵を描いているとあの日がふと蘇る。

絵のおしまい地点、これを言葉にするのはなかなか困難だ。

他の人はどうか知らないが、自分にとって絵の終止符はやはりあの頃同様、向こうからやって来るとしか言いようがない。あの時口をついて出た「看板持ち」というのもそう的外れではなかったのではないか。

何日描いても終わりがやって来ないどころかどんどんと遠ざかっていくのを感じたり、また途中で放り出してしまっていた絵を何カ月ぶりかに引っぱり出して目の前に置いてみると、既に終わっていたことを確認することもある。「おしまい」の看板持ちはいまだに気まぐれだ。余白の多い少ない、時間をかけたかけないといったこととは無関係に看板持ちは今も唐突にやってくる。いったん終わりを感じてしまったら、とりあえずその時点でどうあがこうがその先へは行けない。絵と関わる時間が長びくとなにかと悪影響も現われる。繰り返し画面を見ていると「残す部分」「消す部分」といった意識に支配されはじめ、気がつくと絵はどんどんと守りの体勢に向かっていく。そうしてできあがった絵を見ると、自分にとって都合のいい部分の寄せ集めでしかない結果を突きつけられやり場のない自己嫌悪に陥る。

絵が完成に近づいていることを感じると、つい何かを描き足そうとする気持ちがはやる。絵はそんな風にこちらの下世話な欲望を最終段階でチラリ試すようなところがある。調子にのって何かを描き足すと、その途端それまでの時間が一瞬で打ち砕かれることになる。後戻りはかなわず、その絵は裏返してしまうか、あらためて上に色を塗り最初からやり直すことになる。しかし九九％できあがったと思っていた絵が逆戻りの真っ白な画面に戻ったとしても、そこに至るまでの筆が動き回った痕跡は残る。そのわずかな凸凹の陰影に何かは進んだのだと自分をねじ伏せることも多い。

自分自身に限って言うなら、一枚の絵の終わりを感じたとき、そこに未完成の気配や前向きなズレを感じた瞬間に止めた絵には後悔が少ない。方向は間違っていないが、何かが足りない感じ……この微妙に未完成な感覚、判断のつかないズレといったものが一体何を意味するのかわからない。そこに自分にとっての「絵」の秘密が隠れている気がする。

絵というものは何かしら作者の意図に沿って進められるのだろうが、その意図が表現に至るとは限らないし、また作者の意図しないところで表現が完結していることも起きる。

それらが時間と共に微妙なサジ加減で入り交じったものが一枚の絵として定着するのだろう。進行中の絵にスッと吹く予期せぬ風のように一瞬のバランスを作者が感じ取ったとき、その瞬間絵に終止符が打たれるように思える。結局、目の前の絵に、何を見、どう感じるのかは、いつの時代も人それぞれの価値観や感性に委ねられることに変わりはない。

絵を描くと裏側にその日の日付の数字を書き込む癖がある。いつ頃からそんなことが始まったのか記憶にない。明らかに進行中の絵も手を入れた日の日付を書き込む。

何日もかかった絵の裏には数字の羅列が絵の裏側上部の横を這うことになる。確固たる意志を持ってそういったことを始めたわけでも、特別な意味を持ってそうしているのでもない。曖昧な習慣には違いないが、そのこと自体が自分にとって絵を描くということと密接なつながりはあるように感じる。こんな話から、あなたにとって絵は「日記」のようなものなのですね、と紋切り型に切り返されることもある。もし「日記」がその日に起きた事柄や自分の思いを記すことを意味するのなら、自分にとって絵の裏側に日付けを書き込むことは「日記」とは言えない。時折立ち止まってマーキングを残しながら街中を歩き回る犬……絵の裏の日付を考える時、そんな光景が浮かぶ。犬の本心はわからないが、自分が絵の裏側に日付を記すことが「日記」よりも犬のマーキング行動に近いと感じるのは、そこに無意識の痕跡を感じるからかもしれない。

日付の羅列の先、絵をどこで「おしまい」とするのか？

完成したその日の数字を絵の裏側に書き込む時、「本当におしまい？」と聞き返す犬の姿の自分が現われる。

二〇〇五年五月

絵時間

仕事部屋にはいつも数枚の描きかけのキャンヴァスが壁に立てかけてある。裏側をこちらに向けた絵の上部には日付が書き込まれている。一つのものもあればいくつか並んだものもある。

絵に手を入れるとその日の日付を書き込む習慣が以前からある。子供の頃から絵と日付は一体である意識があり、書き込みは今でも続いている。絵を描くことが日記的な意味合いを持つとか記録性を意識しているといったことではまったくなく、また何かをきっかけにそれが始まったといったことでもない。

使用する画材の種類にもよるが、油絵に関して言えば、絵を描き終えるタイミングは一点一点まったくバラバラだ。描き終えたと実感するまで何年もかかることもあれば、稀に呆気なく一日で終わることもある。

そんな状態が淡々と三十年間くらい続いている。作業が途切れるとジワジワと禁断症状が湧き上がる。その繰り返しの中でいつも思うのは、絵を描くことでしかどうにも進んでくれない「時間」のことだ。

油絵具は塗る厚みによって乾燥時間が大幅に異なる。場合によっては何年も乾かない。取りかかった絵が順番に終わらない理由にはそんな性質を持つ油絵具の表面状況が大きく関わっているが、それに加え五、六枚の絵を並行して描くため余計それぞれの絵に時間差が生じる。

そうした作業の進め方が若い頃から身についてしまっているが、一番の利点は一度描いたものを「忘れる」ことができる点だ。自分にとって忘れ去ることは絵を描いていく上でとても重要なことだ。画面上に置いた色や線、その全体的な配置関係が頭に入っているうちは絵は思うように進んでくれない。無意識的な目による学習がその原因だ。そんな時は、画面上の気に入る部分を残そうとする意識が働き、思いきりがどんどん鈍っていき、無理に続けると悪循環に陥り抜けだせなくなる。「欲」というやつだ。目をつぶって絵が頭に浮かぶような状況で作業を進めても画面上に「事故」が起きてくれない。

事故を計算から導くことは不可能だ。起こすのではなく、起きてしまうことに身を委ねる。自分の中から絵が消去された後、再びその絵に取りかかる。忘れようとするのではなく忘れてしまっている状態。

どうしても学習残像が頭から去らない時は絵を裏返し次へ行く。忘却による醸造だ。

数年前、頃合いを見て描きかけの絵を何気なくひっくり返すと、予想以上に月日が経っていたことに愕然とした。以前その絵を裏返したのはつい数カ月くらい前だったなと日付を見てみると、既に二年以上の月日が流れていた。ウソだろと思った。絵を裏返したその瞬間、指先にザッと「時間」が流れたような気がした。

その時「時間」を意識した、などと大仰なことを言うつもりはないが、その出来事が独特な「時間感覚」を自分に与えたことは事実だった。

絵をスタートする時はキャンヴァス上にまず身の回りのさまざまなもの、段ボール片や布、ビニール・テープやさまざまな種類の紙、糸などを無作為に貼る作業から始めることが多い。効果といった事柄はまったく頭にない。淡々と貼っていく。基本的に素材は何でもいい。この時自分の好みに従いすぎると後々興味深いことは起きてくれない。下塗り的な貼り込み終了地点はいつも必ずやって来る。

乾いたら水彩絵具やら油絵具を塗る作業に入るが、そのあたりから絵を描くという気持ちになっていく。そこからは剝がしたり貼ったりと工程は行ったり来たり、絵の表面は少しずつ「質感」を帯びだす。この質感をジワジワと感じはじめるといつの間にか絵が進んでいることが多い。あとは目による「学習」に注意しつつ作業を繰り返す。

そのうちに「層」のようなものができあがっていく。具体的なものがまだ描き込まれる前の表面は近づくと地層のように見える。

先日、そんな貼りかけの木製パネルをボーッと眺めていた。偶然窓から強めの陽がそんな画面の凹凸上に差し込み、表面には予期せぬ影が色や線に落ちていた。これは完成だと一瞬思った。影は刻々と画面上を移動し、やはりまだだと思った。

日時計のように影を乗せた目の前にあるモノ、これは実は「時計」なのではないか、ふとそう思った。描きかけの絵とは、とりあえず電池を抜いた状態の「時計」のようなものかもしれない、そうも感じた。

停止した「絵時計」の文字盤が浮かんだ。

頭の中の時計針は日ごとの絵の状態により、正常に、時に逆の方向にと変則的に作動する。「時間」が絵の中に溜まっていく、そんなイメージが浮かぶ。

光が乱反射するように絵の中に流れる時間は、その完成地点で初めて一つの流れに連なるのか。

世の中に日々あまた生まれ落ちる絵の中の時間は、極めて稀なる完成地点で過去と未来をつなげるのか。絵の完成地点は、作り手当人すら気づかないままふいに現われ、絵の外側の時間に連なる。

どのみち考えても仕方のない世界のことだ。絵を完成させる意識が、自分にとってくい影響を及ぼさないことは以前から感じている。自分にとってはいつも完成ではなく終了だ。

描き終えた感覚と絵の完成地点とはまったく別の場所にあり、「イッた！」と感じた瞬間の「未完成」な感触はそこに通じているのだろう。

夢や記憶の中に差す光、過去の出来事の中に響く音や匂い、中断されて壁に立てかけられた絵、それらに共通して思うのはやはり「時間」だ。

たとえ過去の出来事であれ、過去の絵であれ、それらが自分自身の「今」に関係し、強い思いが心の中に立ち上がる時、そこに「時間」が流れるのを感じる。

楽しみはこの世にはたくさんある。あり過ぎるほどある。いろんな経験を積み、さまざまな価値観を有する人々と話をすること。そんな出会いが重要であることは理解できるが、そこに絵による「時間感覚」はない。

その「時間」を感じ取れないかぎり空しさが残る。「絵時間」を感知し続けることでのみ「時間」を意識できる。好きな絵に出会う瞬間、内側の時間が反応する。

網膜を満足させるだけの絵、頭で納得することを前提とした絵、心に直結してくる絵、世の中にはさまざまな絵がある。それがどうあれ、絵の中に溜まる「絵時間」が自分自身と絵をつなぐ大きな役割を果たす。

二〇〇六年一月

距離とチャリ

「こんなことじゃダメだな」

真っ昼間の宇和島商店街を歩行中、そんな圧がかかる。

せっかく海の近くに住んでいるのだから、もっと軽く風通しよく、釣りでも楽しみながら日々が過ぎるに越したことはないが、どうもそう簡単に前へは進まない。

背中に貼りつく情けなさがジリジリ陽の熱でユラユラ蒸発しながら宙に消えていく。海も山も十分いれば十分だ。

どうにも届かない遠くの「場所」が飄々と頭に浮かぶ。そこは張りめぐらされた鉄条網の遥か彼方、地平線の見える広大で真っ茶色の荒れ地だ。地下に何かあるのかそれはまったく不明だが、その地表に緑生い茂る森など見えない。雑草の欠片もない。「距離」と「思い」の関係が頭をよぎる。意識の向こう側の頑強で確固たる「思い」でしか対峙できない、とてつもない「距離」。どこにいてもそんな圧の度合いに違いはないはずなのに、ここ宇和島では東京にはない「*g*」を強く感じるのはなぜだ。もっとたくさんもっときちんと作らないといけない。二十年経ったところで、「g」を少しでも跳ね返しゼロ地点を保つ方法はそれしかない。

そんな重さがどうにも動かない時、気晴らしのついでに、室内に立てかけたままの二十点ほどの絵をパラパラと眺める。描いた線や色が記憶にあるうちは絵が終わったのかどうか判断できない。絵自体を一度丸ごと忘れてしまうことの効用を信じ、いつのまにかその手の絵が立てかけられたままになり、気がつくと二十点ばかりが仕事場の片隅に乱立している。

一枚の絵が短時間のうちに終了することは稀にある。そんな時は魔法が消えないうちに、間をうかがいながら次の絵に向うのだが、やはり四枚目あたりから一気に失速する。ガクンと疲労感に包まれる。しかしその手前まではなんとか行こうと事を進める。絵がうまくいったときは気分がいい。この気分は十代の頃から何ひとつ変わらない。これほど気持ちが軽くなることはない。この瞬間のためだけに絵を描いている気もする。そして一時間もするとまた元の状態に戻っていくことの繰り返し。

絵の乾燥を待つことは耐えがたく、五、六枚の絵を同時進行で進める。油絵具は乾燥に時間を要するため、次の絵に移る。自分にとっての程よいローテーションが五、六枚ということだ。

複数を並行して進めているうちに、それぞれの絵が枝分かれするように時間差が生じ出す。ある絵は一気に終わり、また、ある絵は裏返ったまま数年壁に向いたままになる。

先日、パラパラと壁に立てかけた絵を見てみたが、まだどれも終わっていない……そんなことを感じつつ、一番奥にあった壁よりの絵を手前に引いた。するとそこに一番気にいる「絵」が一点だけ目の前に現われた。それは、立てかけた絵で見えなかった「壁」だった。絵具の染みだらけの壁だった。

小さめの絵は壁に立てかけて描くため、キャンヴァス周りの壁には無意識に散った絵具の色が重なっている。絵をどけた瞬間、サイズも色も違うキャンヴァス周りの矩形線が絵の形に見えた。それは最近の絵よりずっといいと思った。長らく立てかけられた絵によって視界から隠れていた壁は、こちらの意図の外で、「絵」としてすでに成立していた。こういう絵を描いてみたいと思う絵がそこに隠れていた。ぬけぬけと逃走に成功したと思い込んで隠れる脱獄犯の男とふいに出会ったような気がした。

印刷の際の試し刷りで生じる印刷廃棄物である「ヤレ」を見た感覚に近いと思った。二十年程前、画集制作で印刷所に通い、初めて「ヤレ」を目にした時、「これには絶対にかなわない」と感じた。たまたまその日工場で出た他人の印刷物の上に印刷インクを調整する目的で二度三度刷り重ねられた自分自身の絵は、かすかに自分の絵の痕跡を止めつつ、圧倒的な「別物」に変身していた。ヤレ表面を覆う「空気」は、美意識を射程に作り出した結果のものとはまったく別世界のものだった。

印刷所で偶然目にしたそれらの驚異的な絵は、作ろうと思えば自動的にいくらでも作り出せること、また関係者の誰にもその「美」を感知されないまま、不必要な「ゴミ」として廃棄されること、そしてそれは誰かに「発見」されるまで確固たる「意味」をまとう事なくただそこに在り続けること。そんな有様に十分信じるに足る世界が匂った。

仕事場の壁に残る絵具染み集積痕は、街中で見かける古ぼけた看板や土壁の染み同様に、一旦完成された人工物上に自然が作用した「ヤレ」と言い換えられるかもしれない。

それらは、「美意識」とは無関係の「作用」による「表層」であり、何者かに「発見」された瞬間から「意味」に向かって動き出す。

「作品」に「作者」がいる必要はない。特定の「作者」不在の元に出来上がってしまうモノたち、そこに大きな可能性を感じる。何らかの作用により立ち現われ、「美意識」の外側に無意味に在り続けているモノ、そんなモノや出来事に反射的に感覚が動く。

それらの中に共通して感じるのは、「距離」だ。それは「作者」不在のまま形を成すまでの「時間」と関係があるようにも思える。決して縮めることのできない一定の

「距離」を常に保ちつつ、隠れ逃げ続ける。それらに対する反応は、関わり方不在のまま強烈な制作衝動に直結する。

自分の思う「美」と何らかの関係があると思われる感触を、こちら側に引き寄せようと思う瞬間、それらは以前とは形を変えた「距離」を取り戻し、再びどこかへと逃走を繰り返す。

結局、「距離」を縮めるのではなく、有りのままの「距離」を取り込むこと、そんなことが絵をうまく終えることと関係しているようにも思える。

「美意識」とは一体何だろうと時々思う。「美」を生み出すのに一番不必要なもの、それは「美」を意識することに違いない。

つい先日、十五歳男子が大阪から宇和島まで自転車《チャリ》に乗って会いにきた。あいにく不在中で会うことは叶わず、四百五十キロあまりの距離をどのように自転車でたどり着いたのか詳しいことは知らない。東京でその話を聞いた瞬間、何か心がスカッと晴れた。

重苦しい「g」も「距離」も一瞬消える思いがした。彼が「距離」に対して取った江戸時代の飛脚のような方法は、「ありのままに正しい」と思った。飛行機や自動車も、携帯電話やパソコンとも無縁に、ひたすら足で漕いだ彼の思いに心が動いた。そいつは見事に「距離」を取り込んでいた。自分が今十五歳で彼と同じ思いを抱えていたら、一体どんな方法を取るのか想像した。

二〇〇八年八月

宇和島空港商店街

東京の仕事場を引き払い宇和島に来てから二十年あまりが経った。当初は五年くらいは居ることになるんだろうと思ってはいたが、気がつけば二十年。

さまざまな場所への移動、滞在も多く、居っぱなしということでもないが、制作拠点に変わりはない。

昨年末、東京で初めての回顧展を終えた年明け、久しぶりに夜中の商店街を歩いた。近くの島から船で飲みに出てきた気のいい漁師さんに呼び出されしこたま呑んだ帰路、たまたまそこを通ったのだった。

昔そこがバス通りだったことも影響しているのか、町の規模からするとデカすぎるその商店街の佇まいはここへ来た当初からほとんど変わらない。変化といえば昼間でもシャッターを下ろしたままの店が増えたくらいか。

来た当初そこを歩いていた時、なぜか飛行機の格納庫がポッと浮かんだ。

俯瞰から眺める空想の中の格納庫屋根には、クリスマス時期などに木々に巻き付けるイルミネーションが暗闇を背景に煌々と輝き、建物全体が近未来的に光っていた。

宇和島の商店街はかなり長い。そんなことが滑走路を連想させ、遥か前方の商店街出口の闇からこちらに向かって双発機が舞い降り、突風をはき散らしながら頭上スレスレを飛び去るイメージは、今でも時々頭をよぎる。

商店街をまばらに移動する人々の密度と歩道を取り囲む空間全体との距離感をいまだ十分に把握することができない。把握といった表現が適切なのかどうかはっきりしないが、見なれているはずの風景が心の中にスッポリと納まってくれない。

そんな掴みきれない感覚は、何かを作り出す以外に時間が進まない日常に不意に切り込んでくる。それはココでの日々に好都合な作用を及ぼすこともあれば、逆に真っ暗闇の場所へ追いやる救いようのないやるせなさを招き入れることもある。それは都会で感じるやるせなさとは、まったく異質な感情だ。

二十年経ってなんとなくわかったことといえば、結局どこにいようが、強い意志を持ち続けることでしか何も起こりえないといったことなのだが、通常はそこに気づくのに二十年はかからない。

商店街は夜九時を過ぎる頃から人通りがプッツリ途切れ、ところどころ灯る蛍光灯が奇妙な演出を醸し出す。そんな中トボトボと歩いていると、頭の中をあの双発機が頭上間際を通り過ぎ、映画の巨大セットの中で暮らしているような錯覚に陥る。この現実感のなさは一体何なんだろう。

自分はココで一体何をしてきたか、そして今から何をしようというのか……、商店街を歩く時はそんなことをいつのまにか考えている。

他の地から戻って来た時は、初めてココを訪れた日と何ら変化もない思いに取りつかれる。

展覧会後、ココ宇和島に戻るとそれまでの出来事がすべてどこかに飛んでしまったような気持ちになる。急速に時間が遠のくような、昨日と今日との間に未現像フィルムが挟み込まれたような不思議な感覚に陥る。そしてまた結局作るしかない日常に戻っていく。

それが前向きなことなのか、とてつもなく後ろ向きなことなのか、客観的にそんな心情の一端でも摑んでみようとは思うが、いつもその目論みは大きく逸れ、また何がなんだか判断のつかない所へ引き戻されている。この二十年その繰り返しだ。一体ココで俺は何をやっているんだろう……。

昨年の「全景展」三フロアに並んだ二千点あまりの作品がかかる会場を歩きながら、もし自分の意志できちんと選び取った場所で二十年という歳月を過ごしていたら、美術館全フロアを作品で埋めることは絶対に不可能だったことを確信した。何かを作り続ける日常には、当人がどうにも納得いかない「矛盾」や「理不尽」が貼り付いているように思えた。

人が何かを作る動機は人それぞれだし、巨大な空間を多くの数の作品で埋めること自体に特別な「意味」や「価値」があるとは思っていない。しかし二十年前のヒョンなきっかけから宇和島に居続ける日々がなかったなら、美術館全体を作品で埋めることは絶対に不可能だったのは本当だろう。そんな実感の裏側には、映画のセットのような巨大商店街を通過するいつもの双発機やどうにも腑に落ちない曖昧な夜景が貼り付いている。

昨年後半は展覧会で長期東京に滞在していたため、いつものように集中して制作することがままならず、会期後半は禁断症状のようなフラストレーションを感じていた。理解し合える人物との重要な出会いもやはり絵を描くこととは違う。

そのためか年末宇和島に帰ってからは作る気持ちを抑えられず、大晦日から次のスクラップブック作業に取り掛かった。

年末から正月にかけては身の回りに散らかるさまざまな種類の紙の葉書やら封筒をページに貼り込み、その上からたまたま机上にあった青い染料をドボドボと塗りたくることを繰り返していた。

それだけのことなのだが、目の前で紙に吸い込まれていく青色の微妙な違いを眺めているだけで気持ちが落ちついた。絵具で濡れた紙が乾燥へと向う時間の中に組み込まれるだけで特別な心地よさを感じた。やはりこれだろう、これしかないと思った。やっと自分だけの時間の中にいる実感を持てた。

「結果」をきちんと出せなければ、何をどんなにやろうとやらなかったことと同じといったことは時折世間で耳にする。同時にその一理の先に殺伐とした風景も見え隠れする。紙に染み込む青色を見ているだけであらゆる理屈はいつも一瞬でどこかに吹き飛ぶのはなぜだろう。

ものを作ること、ものができあがっていく過程にはどんな理屈ともかけ離れた出来事が関係しているに違いない。

絵を描いていると、その絵とともに今自分がココにいる、そんな当たり前に包まれる。

二〇〇七年二月

単行本あとがき

　この本は、月刊誌「新潮」に現在連載中のエッセイ「見えない音、聴こえない絵」二〇〇四年二月号から二〇〇八年十月号に発表したものと、二〇〇三年連載開始前に書いた一編をまとめたものである。

　二年前の秋に開催された「全景　1955―2006」展図録には、二〇〇六年十二月号までのエッセイの大半が英訳と共に収録されているが、その後二十一回分を合わせたものが今回の単行本ということになる。

　単行本化にあたり、約五年分のエッセイを大きく三つの章に分け組み直したが、若干の文字修正以外、内容についての変更は加えていない。

　エッセイ連載開始が、回顧的な意味合いの強い展覧会準備と重なったこともあり、毎月のエッセイでは日常思うことに加え、日々の作品制作に関わるさまざまなテーマや素材についてできるだけ具体的に改めて考えてみようといった思いがあった。

　絵画制作を軸に、これまで自分自身が関わってきた立体、版画、写真、貼絵、音、グラフィック等について、一度きちんと自分との距離、出会いや考えなどを可能な限り言葉に置き換えてみたいと思ったのだ。

そんな思いから毎月できるだけ一つのテーマを定めるように努めたが、いつもそこから微妙に逸れることが常で、表通りに続く路地に足を踏み入れるといつのまにかその奥の新たな裏道を歩いていることに気づくといった心境に陥ることも多かった。

制作に直結する衝動や思いを、どんな視点からどのような言葉に置き換えればうまく人に伝わるのか？　そんなことをいつも自分なりに考えつつも、結局は言いきれないもどかしさに至ることの繰り返しだったようにも思う。

しかし、そんな毎回の「届くことのないもどかしさ」が、最終的に絵にせよ文字にせよ「手を動かす」ことにつながってもいたのだろう、そんなことも漠然と感じた。

今回再読し、毎月迫り来る締め切りに照準を合わせ自分自身言語化しづらい事柄についてさまざまな角度から考える機会をいただけたことはとても幸福なことであったと改めて思った。

エッセイにも書いたことだが、ある日スクラップブック制作中、突然「地図」という言葉が頭に浮かんだ。貼り付ける行為が、自分の内側にある「地形」に対する地図制作のように思えたのだ。その時は自分だけの妄想だと思ったが、人それぞれの内側

には さまざまな形を成す未完成の「地形」があるのではないか、そんなことをその後考えた。

そんな内側の「地形」にどんな方法でどう関わるのか、またはまったく関わらないか、それは人それぞれだ。

自分自身は、たとえそれが未完の地図で終わったとしても、何らかの表現手段を手がかりに内側に感じる「地形」を可能な限り歩き回り、できることならおぼろげにせよ炙り出る「地図」を一瞬でも見てみたい、そんな思いが強い。

最後に約五年にわたり行き当たりばったりに書き連ねたエッセイを、こちらの要求するわかりづらいテーマにそって根気よく章立てしていただいた田中樹里さん、またすべての発端である連載の機会を与えていただいた矢野優氏に心から御礼を申し上げます。

二〇〇八年十二月

大竹伸朗

絵ビートの轍――文庫版あとがきにかえて

本書のタイトル「見えない音、聴こえない絵」は、月刊文芸誌『新潮』で二〇〇四年二月号から二〇二二年現在まで続く同名の連載エッセイに基づく。その連載からこれまで『見えない音、聴こえない絵』（二〇〇八年、以下新潮社刊）、『ビ』（二〇一三年）、『ナニカトナニカ』（二〇一八年）の三冊の単行本が刊行され、本書はその一冊目の文庫化となる。

連載開始当初は同時期に決まった初回顧展「全景　1955―2006」（東京都現代美術館、二〇〇六年十月十四日〜十二月二十四日）開催までの約三年間を想定していたため、とりあえずそこに向けて日常で思うことなどを気楽に書き進めた覚えがある。

約五年間分のエッセイをまとめた本書が初めて単行本として刊行されてから早十四年。その間、国内外では震災や放射能問題、気候変動からの度重なる災害に見舞われ、見えるもの／見えないもの、人類の根源に関わる事象や様相への考え方や常識が大きく変化した印象が強い。

今現在も、世界は先行きの見えないコロナ禍にあり、過ぎ去った月日を思うと正に隔世の感あり、今回文庫化のお話をいただいたときは内容が「現実」から大幅にズレていないか？　そんな懸念があった。

再読して相変わらず進歩のない表現の回りくどさは感じたものの、当時取り上げたテーマや中身に関しては特に大きな違和感は感じなかった。

そして、世界がいかなる情勢にあろうと、自然界は相変わらず淡々と変化し続けること、誰しもが過去をどう捉えようが変えようがないこと、またそれぞれに一期一会のオリジナルな一生涯であると開き直る以外先には進めないことに思い至り、ありがたく文庫化のお話をお受けした。


それに伴い新たなカバー案を思案中、かつて自分が付けたタイトル文字を眺めた。そもそもなんで「見えない音、聴こえない絵」というタイトルに辿り着いたのか？ふと考えたがすぐに思い出せなかった。

「見えない」「聴こえない」となぜか否定型二連発、素直に意味が通らない。「見える絵、聴こえる音」はさすがになかった……そう思った瞬間、まさにそこが出発点だったことがおぼろげに浮かんだ。

長年、自分にとって創作の核としてあり続ける「サウンド&ヴィジョン」、そこに連なるタイトルは何だろう? まずはそこから言葉が動き出したのだった。絵を描いているとき心に浮かぶ形や色、それらを画面上に引っ張り出そうとするときの心がノッタリ動き出すような、なんともつかみどころのないもどかしさ……何気なく「絵」と「音」を入れ替え、一瞬意味が遠のいたとき、その気持ちにグッと詰め寄ったように感じた。タイトル決定までのそんな成り行きが炙り出てきた。

連載開始までの数年間、西暦二〇〇〇年前後の日常を「美術」とともに思い起こすとき、今でも遠くからジワっと心に「*g*」がのしかかる。

唯一の希望として準備してきた地方美術館での個展が水害で流れたり、台風の高波で直島のビーチに設置した大きな作品が海に流されたり、宇和島からアメリカ南部への家族移住計画もあっけなく消滅したり、またなにより知り合い皆無の宇和島に来て以来二十年あまり、作品の構造面を常に無償で支え続けてくれた恩師シーちゃん(清家茂範氏)が突然亡くなったりと結構散々な出来事が続いた。

誰かを頼ることなく一人で作品を完成させること、その原初である「描くこと」を改めて考えた。

それはシーちゃんから手渡された最後のメッセージのようにも思え、宇和島に踏みとどまった。

一九八八年後半、制作拠点を東京から四国宇和島市に移して以降も不安定なりにさまざまな場所で「展覧会」とは関わり続けていた。

誰かの企画による「個展」はこちらから仕掛けるわけにはいかない。適切な表現かどうかはわからないが、芸者衆同様、お座敷のお呼びがかかるのを待つしかない。

展覧会で何度好結果を残そうと、なにかをキッカケにパタリと流れが途切れても致し方がない。

そんな運不運の連続でしかないような展覧会の依頼さえないとき、宇和島でなにをしていたのだろう？

六十代半ばになり少しは気持ちに余裕ができたからなのか、焼きが回っただけなのか、ふとそんなことを思う。

真夏日、幼かった娘を連れて近くの神社一角の鳩場まで餌撒きに行ったときの炎天の日差し、盆に開催される闘牛場の宙空にマッタリ浮かぶ生暖かい空気、川面を横切り泳ぐ青大将の波紋、不必要にだだっ広い無人商店街の年末ＬＥＤブルー・イルミネーション……意味の彼方にうっすら流れ続ける無音映像がふとした日常の狭間に一瞬滑り込む。

相変わらず金銭とは縁のない日常だったが、忘れたころにアート関係の講演に呼ばれたり、CDジャケットや単行本の装丁や雑誌カバーに絵を描いたりと「絵まわり」からは離れない生活は続けていた。

二つ三つ生活の安定につながる教職のお声がけもあったが、テイのいい大人の事情を言い訳に自分との約束を反故にするようでまったく気乗りがしなかった。

さまざまな機会をいただくことには感謝の念しかなかったが、ヒタヒタと背後から忍び来る情けなさはかたくなに去らなかった。

展覧会ごとの新作や本制作などいくら作れども堂々巡り、時の経過とともに行き場のない「物質」が仕事場に積み上がるばかり、手応えを感じつつも「部分」が全体像を組み上げていかないことへの不服と自問。

好きな絵の仕事で糊口をしのぎつつ趣味で作品制作しながらマイペースで宇和島暮らしを……とは最上級であってはならなかった。

それだけは掟破り以上に絶対にダメだった。

とどのつまり、そんなことだったならば、あのとき道東へもロンドンにも行く必要はなかっただろ……高校を卒業した年、二万円を手に別海町の牧場へ向かったときから、ずっと刻み続けてきた「絵ビートの轍《わだち》」だけはなにがなんでも途切れさすわけにはいかなかった。

資金も知り合いも定宿もなく、最低一年間見知らぬ場所で過ごし再びここに戻ること、まずはそれが画家を名乗る以前に自分に課した絶対条件だった。

家を一歩出た瞬間のあの気持ち、それは何かを作り続ける思いと同義だったことに最近やっと気がついた。

「お前は今でも躊躇なくそれができるのか？」

その問いがエンドレスに内に響き続けるかどうか。

再読して、自分自身の「作り続ける」は最初からずっとそこだったことを確認した。

大竹伸朗

二〇二二年二月七日、倫子《みちこ》の誕生日に

今回の文庫化に関して「絵ビートの轍」に書き切れなかったこと。

描き下ろした三十点の挿絵は、普段親しみを感じるモチーフ＋木炭の線という思いつきを元に一筆書きの要領で一気に描いたものです。

エッセイの内容は一切意識していませんが、人によって予期せぬ繋がりが生まれるようにも感じます。

文章に関しては、より思いが届くことを念頭に、主旨が伝わりにくい表現の大幅な加筆、不必要だと判断した箇所の削除を行いました。

最後になりましたが、御多忙のなか快く解説をお引き受けいただいた原田マハさん、石川直樹さんに心より感謝申し上げます。また、挿絵を的確に組み入れ、素晴らしいカバーに仕上げていただいた池田進吾さん、文庫化に御尽力いただいた担当の井口かおりさんに感謝の意をお伝えします。

二〇二二年五月

大竹伸朗

解説　点景＞＜全景

原田マハ

私の「大竹伸朗」体験は、いま考えてみると、運命的と言ったほうがいいくらい早く訪れた。

一九八五年、私は二十三歳だった。関西の大学を卒業し、一年間大阪のグラフィックデザインの学校に通って、しぶしぶ東京の実家に帰ってきた。決して豊かとは言えない、それでも青春真っ只中の時代を関西で過ごしたので、帰京するのはなんとなく「負けた」気がしていた。当時の私はバイト先の神戸のアート雑貨店で現代美術に目覚め、どうにか関西に留まってアートに近いところで働きたいと憧れていたが、それはあまりにも狭き門だった。帰京後、兄の紹介で小さなデザイン事務所に就職し、それでもなんとかアートにつながっていたいと悶々としていた時期だった。

人間、切羽詰まると大胆な行動に出るものだ。私は現代アートに一番近いと思われた場所、佐賀町エキジビット・スペースのドアを叩いた。なんのコネも紹介も経験もないくせに、「雇ってください」といきなり突撃したのだ。相手はスペースの主宰者、小池一子さん。のちに伝説のキュレーターとなる彼女は、静かに落ち着いた声でこう言った。――残念だけどもう一人を雇う余裕がないんです。だけどあなたの気持ちはとてもありがたい。よかったらいまやっている展覧会を見ていってください。

そうして私が放り込まれたのが、大竹伸朗という名の妖しく沸き立つ沼であった。大竹伸朗の沸点がいかにして訪れたのか、そして彼の中の絵を巡る沸騰がなぜかくも長く続いているのか。その秘密が――というよりも神秘が、本人によって詳らかにされている。それが本書の最大の読みどころである。

大竹は、本書で繰り返し「あの頃」と「いま」、「どこか」と「ここ」を交差させ、その交差点に立っている自分を点景としてとらえている。そうすることによって過去と現在の自分自身を繋ぎ、全景を組み立てる。実に巧みな構成だ。

大竹伸朗とは、いまや日本が世界に誇る稀有なアーティストであることは間違いない。キャリアも実力も兼ね備えた彼が、そしてちょっとはエラそうなことを言ったとて許されるはずの彼が、若かったあの頃も大成したいまもたゆたい続け、根底には常に何ものかへの反骨や否定が拭いきれずにいる、しかしそのことが推進力ともなっている――という事実が本書には綴られている。同時に「絵はどこからきてどこで終わるのか」という、アーティスト以外の人間にはまったく神の領域とも言える謎に対する答えも準備されている。明確な答えではないが、明確な答えはない、というのが大竹の答えなのだと納得できる。

本書は「遠景」「全景」「近景」の三つの章に分けられており、文章の構成自体を絵画的スコープで区切っているのにも絶妙なセンスを感じずにはいられない。

「遠景」の章では子供時代の印象的なエピソードが披露されていた。九歳のゴッホが描いた犬の絵に衝撃を受けたというくだりで、「見た瞬間、頭の中にはランドセル姿のゴッホが鉛筆を手に犬を描く図が浮かんだ」とあり、それが私には衝撃だった。ランドセル姿のゴッホを脳内でビジュアル化してしまう九歳の大竹伸朗、それをいまさら文章化してしまう力量には唸らされる。

「全景」では、まさに同じタイトルの大展覧会の開催前後の逸話が書かれている。東京都現代美術館で開催された同展には私も行ったが、初めての「大竹伸朗」体験から二十年近くを経て再体験した大竹伸朗は、濃度を増して息苦しいくらいだったと記憶している。会場を埋め尽くす、有無を言わせぬ圧倒的な物量は、時空を歪めるんじゃないかと思うほどだった。それはまさに、沼をはるかに超えた宇宙の出現だった。いかにしてあのような展覧会を成し得たのか、その謎もまた本書で明らかになった。意外にも展覧会直前でまだ展示が終わっていない夢を見たと知って、なんだかほっとした。あのような宇宙を創り出すアーティストであっても、当たり前に緊張もするひとりの人間なのである。

そうなのだ。ゴッホだってピカソだってウォーホルだって、いまは神格化されているけれど、「あの頃」は人間だった。大竹伸朗のスクラップブックをヴェネチア・ビエンナーレの会場のガラスケースの中にみつけたとき、誇らしく感じるのと同時に、もはやはるかに遠い存在に感じてしまったこのアーティストが、本書の中で人間臭い「あの頃」のまま蘇ってくれた。それが何より私には嬉しかった。

大竹沼にハマった「あの頃」の私が、いまの私に囁く声が聞こえる。大竹伸朗はいまなおたゆたい、震え、煮えたぎり、迸っているよ。私はそれを目で、耳で、体ぜんぶで感じていいんだよ——と。

解説　ノーモーションから突如放たれるパンチ

石川直樹

二〇二二年五月三日、ぼくは世界で三番目に高い山、カンチェンジュンガの頂上へ向かう日を明日に控え、ベースキャンプのテント内で最後の準備をしていた。カンチェンジュンガは、ネパール・ヒマラヤの東の果て、インドとの国境沿いに聳え立ち、インドでは文字通りの最高峰という位置付けである。

日本を出てすでに一カ月以上が経ち、そのあいだにダウラギリという山に登頂し、十日ほど前に、このカンチェンジュンガという山の頂上付近まで行ったにもかかわらず、数十メートル離れたニセの頂上に行き着いて、ぼくは失意の下山をしていた。〝ニセの頂上〟と言われてもよくわからないかもしれないが、とにかくルートを間違えて一番高い場所にたどり着けなかった、ということだ。そして、明日からはじまる二度目のカンチェンジュンガ登攀を前に、ベースキャンプのテント内で足の爪を切りながら大竹さんのことを考えていた。

今日までの無茶な登り方がたたって、ぼくの右足の親指の爪は剝がれかけていた。

爪の左端がかろうじて皮膚にめり込んで止まっている状態で、爪がドアのようにパカパカと開いてしまう。痛みはほとんどなかったが、登山に支障をきたさないよう、少しだけカットしておくことにした。

爪切りは、大竹さんが手がけた瀬戸内海の直島にある直島銭湯「I♥湯」という風呂に浸かった後に購入したもので、なんと言えばいいのだろうか、爪切りの正面部分が赤地になっており、上から「嬔」という文字、スカートを穿いた女のシルエット、そして縦書きで「I♥湯」と金色で印字されていた。風呂上りにこれと目が合ったとき、衝動的に思わず購入したものなのだが、切れ味はすこぶる悪かった（爪を切ると、切り口がギザギザになった）。

ただ、この爪切りを使っていると、標高五五〇〇メートルの極寒テントの中で、ぼくの中に何か突き上げてくるものがあった。読めない漢字とスカート女性のわけのわからなさにどういうわけか救われた気持ちになって、思った以上に爪を切りまくってしまった。

本書では、理屈を超えたわけのわからなさや予期せぬものをひたすら受け入れ、割り切れないこと、理不尽なことにこそ信ずるべき何かがあるということを、数多の記憶を紐解きながら大竹さんが率直に語っている。「「意味」とはかけ離れた場所にあり続ける「記憶のあり方」」(九五頁)としての本書を、「解説」という何らかの意味付けから成る文章に落とし込むこと自体が土台無理な話で、この本自体もまた、エッセイ集というジャンルを逸脱した大竹さんの作品そのものになっている。

「思い通りのものが出来た時ほど退屈な瞬間はない」(二三六頁)という言葉は、写真にもそのまま当てはまる。「こういうもの」を撮りたいと思って、その意図通りのものが撮れてしまった写真ほど退屈なものはない。

「昔から自分にとって重要なものは、常識的に重要とされる場所にではなく、どうでもいい場所に雑然とあることが多い」(一〇〇頁)。そこから偶然やってくる何かを大竹さんの網膜は逃がさない。得体のしれない何かが視界の端に飛び込んで来たら、些細な物事でもどこかで知覚し、受け止める。本書を読む限り、こうした大竹さんのセンサーはいつでもどこでも力むことなく反応し、その実、研ぎ澄まされて、かつ正確無比である。

大竹伸朗という人の記憶の地図は、望遠レンズで覗いても、広角レンズで眺めても等しく面白い。目の前にある世界や人との距離にブレがなく、小難しい批評や浅薄な美意識を大きく包み込んでそのまま飲みこんでしまうような大らかさや不思議な透明さを、ぼくは大竹さんの文章の端々から感じる。

ピーナツバターと溶けかけたバターが渾然一体となったトーストに絵画を見た、という「トースト絵画」の項をヒマラヤ遠征中に読んだからなのかわからないが、ぼくは剝がれてパカパカになった爪を大胆に切り刻みつつ、自分自身の身体の一部を彫刻しているような気になった。

カンチェンジュンガに無事登頂し、帰国した今、あのときの爪はすでに完全に剝がれ、もうない。爪切りにある「嫐」という漢字が遠征中からずっと気になっていて、ふと辞書で調べてみた。この一文字で「うわなり」と読むらしい。意味は「たわむれる。なぶる。妻のあった男性にできた、後の妻。のちぞい。側妻。歌舞伎十八番の一。男一人に女二人の嫉妬の所作」とあって、ふいに強烈なフックを喰らった気分だった。「高野山のミシン針」に匹敵する隠語。

まだ本書を読まずにここから読んでいる方がいたら、是非本文を読んでみてほしい。爪切りという「どうでもいい場所に雑然とあることが多い」ひとかけらからも、大竹さんがノーモーションでコンパクトなパンチを放ってくる。

絵でも文章でもスクラップブックでも爪切りからでさえも、おまえはこれを受け止められるのか！　と挑発されているようで、いつものけぞってしまう。大竹さんの手がけた作品は、こうやってほんのわずかに触れただけでも心の底から力が湧いてくるから、ぼくは大好きなのだ。

大竹伸朗・主な著作リスト（展覧会カタログは除く）

『LTD.／PSYCHEDELIC MAGAZINE』東京オペレーション・センター、一九八二年
『《倫敦／香港　一九八〇》』用美社、一九八六年　［改訂版］ＵＣＡ、二〇〇六年
『ＥＺＭＤ』用美社、一九八七年
『ドリームス――夢の記憶』用美社、一九八八年
『大竹伸朗　アメリカ』アートランダム VOL.1　京都書院インターナショナル、一九八九年
『亜米利加Ⅱ　一九八九』アルファ・キュービック・サブライム、一九八九年
『SHIPYARD WORKS1990』ＵＣＡ、一九九〇年
『ＳＯ：大竹伸朗の仕事　１９５５―９１』ＵＣＡ、一九九一年
『東京サンショーウオ　アメリカ夢日記　１９８９』京都書院インターナショナル、一九九三年
『ジャリおじさん』（絵本）福音館書店、一九九三年　［韓国語版］Daekyo Book、二〇〇一年　［フランス語版］パサージュ・ピエトン社、二〇〇三年
『カスバの男』（紀行画文集）求龍堂、一九九四年
『カスバの男　モロッコ旅日記』［文庫版］集英社、二〇〇四年
『モロッコ／ペーパー＋ニードル』ＵＣＡ、一九九四年
『IN SHINJUKU 120%』ＵＣＡ、一九九五年　［改訂版］ＵＣＡ、二〇〇六年
『X＋Y＝LOVE a tribute to Japanese popular music』Enitharmon Press・限定50部、一九九五年

『ドンケデリコ』（ヤマンタカ・アイとの共作漫画集）作品社、一九九六年　河出書房新社、二〇〇八年
『ATlanta 1945＋50』Nexus Press、一九九六年
『PORTRAITS By AVEDON 18th July, 1979』ＵＣＡ、一九九六年
『YMCB』トランスアート、一九九七年
『ぬりどき日本列島』新津市文化振興財団、一九九八年
『ネガな夜』（小説集）作品社、一九九八年
『部分』リトル・モア、一九九八年
『ZYAPAИORAMA　日本景』朝日新聞社、一九九九年
『既にそこにあるもの』（エッセイ集）新潮社、一九九九年　［文庫版］筑摩書房、二〇〇五年
『日本系』青山ブックセンター、一九九九年
『日本景』ＵＣＡ、二〇〇〇年
『武満徹：SONGS』日本ショット、二〇〇〇年
『鼠景神―0と1／帯電する15の回想』［普及版］エプソンイメージンググギャラリーエプサイト、二〇〇一年
『2002 Night and Day』エプソンイメージギャラリー　エプサイト、二〇〇二年
『18』青山出版社、二〇〇二年
『テレピン月日』晶文社、二〇〇二年
『んぐまーま』（文：谷川俊太郎）クレヨンハウス、二〇〇三年

『MOUSE ESCAPE』［普及版］（DVD）デザインエクスチェンジ、二〇〇三年
『UK77』月曜社、二〇〇四年
『権三郎月夜』月曜社、二〇〇六年
『ネオンと絵具箱』月曜社、二〇〇六年　［文庫版］筑摩書房、二〇一二年
『大竹伸朗：ヤバな午後』ニューアートディフュージョン、二〇〇六年
『「全景　1955―2006展」図録』グラムブックス、二〇〇七年
『大竹伸朗展　路上のニュー宇宙』大竹伸朗展実行委員会、福岡、二〇〇七年
『ポ　大竹伸朗×アイデアポスター全集』誠文堂新光社、二〇〇七年
『見えない音、聴こえない絵』新潮社、二〇〇八年　［文庫版］筑摩書房、二〇一二年
『NOTES 1985-1987』ジェイ・ブイ・ディー、二〇一〇年
『直島銭湯I♥湯』青幻社、二〇一〇年
『ビ』新潮社、二〇一三年
『ニューシャネル』講談社、二〇一三年
『大竹伸朗展　憶速』ソリレス書店、二〇一三年
『大竹伸朗＝SHINRO OHTAKE』（ヴァガボンズ・スタンダート）平凡社、二〇一五年
『大竹伸朗展ニューニュー』（丸亀市猪熊弦一郎現代美術館との共著）ソリレス書店、二〇一五年
『ナニカトナニカ』新潮社、二〇一八年
『大竹伸朗　ビル景 1978-2019』HeHe、二〇一九年

＊参考文献（二二六ページ「オジさんの瞳」）

『郵便配達夫シュヴァルの理想宮』岡谷公二、河出書房新社
『脱獄王――白鳥由栄の証言』斎藤充功、幻冬舎アウトロー文庫
『破獄』吉村昭、新潮文庫

作品リスト

●カバー絵　目玉と耳の立ち話

素材／アクリル、木炭／紙　29.8×20.9 cm　2021 年

●本文　木炭線画

いずれも、木炭／紙　29.7×21 cm　2022 年

初出　　新潮　二〇〇三年六月号、
二〇〇四年二月号～二〇〇八年十月号

本書は、二〇〇八年十二月、新潮社から刊行された単行本に加筆し、「絵ビートの轍」と、描き下ろしの木炭線画三十点を加えたものです。

既にそこにあるもの　大竹伸朗

画家、大竹伸朗「作品への得体の知れない衝動」を伝える20年間のエッセイ。文庫では新作を含む木版画、未発表エッセイ多数収録。（森山大道）

ネオンと絵具箱　大竹伸朗

現代美術家が日常の雑感と創作への思いをつづった2003～11年のエッセイ集。単行本未収録の28篇、カラー口絵8頁を収めた。文庫オリジナル。

スロー・ラーナー［新装版］　トマス・ピンチョン　志村正雄訳

著者自身がまとめた初期短篇集。「謎の巨匠」がみずからの作家生活を回顧する序文を付した話題作。驚異に満ちた世界。（高橋源一郎、宮沢章夫）

圏外編集者　都築響一

既存の仕組みにとらわれることなく面白いものを追い求め、数多の名著を生み出す著者による半生とともに「編集」の本質を語る一冊が待望の文庫化。

殿山泰司ベスト・エッセイ　殿山泰司　大庭萱朗編

独自の文体と反骨精神で読者を魅了する性格俳優、故・殿山泰司の自伝エッセイ、撮影日記、ジャズ、政治評。未収録エッセイも多数！（戌井昭人）

Ai　ジョン・レノンが見た日本　ジョン・レノン絵　オノ・ヨーコ序

ジョン・レノンが、絵とローマ字で日本語を学んだスケッチブック。「おだいじに」「毎日生まれかわります」などジョンが捉えた日本語の新鮮さ。

skmt　坂本龍一とは誰か　坂本龍一＋後藤繁雄

坂本龍一は、何を感じ、どこへ向かっているのか？　独特編集者・後藤繁雄のインタビューにより、独創性の秘密にせまる。予見に満ちた思考の軌跡。

夢を食いつづけた男　植木等

俳優・植木等が描く父の人生。義太夫語りを目指し、のちに住職に。治安維持法違反で投獄されても平和と平等のために闘ってきた人生。（栗原康）

超芸術トマソン　赤瀬川原平

都市にトマソンという幽霊が！　街歩きに新しい楽しみを、表現世界に新しい衝撃を与えた超芸術トマソンの全貌。新発見珍物件増補。（藤森照信）

いやげ物　みうらじゅん

水で濡らすと裸が現われる湯呑み。着ると恥ずかしい地名入Tシャツ。かわいいが変な人形。抱腹絶倒土産物、全カラー。（いとうせいこう）

日本ぶらりぶらり　山下清

坊主頭に半ズボン、リュックを背負い日本各地の旅に出た〝裸の大将〟が見聞きするものは不思議なことばかり。スケッチ多数。（壽岳章子）

想像のレッスン　鷲田清一

「他者の未知の感受性にふれておろおろする」自分を曝けだしたかった、著者のアート（演劇、映画等）論。見ることの野性を甦らせる。（堀畑裕之）

セルフビルドの世界　石山修武＝文　中里和人＝写真

自分の手で家を作る熱い思い。トタン製のバー、貝殻製の公園、アウトサイダーアート的な家、0円～500万円の家、カラー写真満載！（渡邊大志）

完全版 この地球《ほし》を受け継ぐ者へ　石川直樹

22歳で北極から南極までを人力踏破した記録。ほとばしり出る若い情熱を鋭い筆致で語るデビュー作、待望の復刊。カラー口絵ほか写真多数。（管啓次郎）

おそ松くんベスト・セレクション　赤塚不二夫

みんなのお馴染み、松野家の六つ子兄弟が大活躍！　日本を代表するギャグ漫画の傑作集。イヤミ、チビ太、デカパン、ハタ坊も大活躍。（赤塚りえ子）

るきさん　高野文子

のんびりしていてマイペース、だけどどっかヘンテコな、るきさんの日常生活って？　独特な色使いが光るオールカラー。ポケットに一冊どうぞ。

COM傑作選（上）1967～1969　中条省平編

60年代末に、マンガ界に革命を起こした伝説の雑誌。手塚治虫、永島慎二をはじめ、矢代まさこ、岡田史子らの作品を再録。（中条省平）

COM傑作選（下）1970～1971　中条省平編

伝説の雑誌に70年代に発表された、赤塚不二夫、松本零士、石ノ森章太郎、楠勝平、萩尾望都、樹村みのり、諸星大二郎らの作品を再録。（中条省平）

ぼくは散歩と雑学がすき　植草甚一

1970年、遠かったアメリカ。その風俗、映画、本、音楽から政治までをフレッシュな感性と膨大な知識、貪欲な好奇心で描き出す代表エッセイ集。

嫌ダッと言っても愛してやるさ！　遠藤ミチロウ

パンクロックの元祖ザ・スターリンのミチロウ初期エッセイ集。破壊的で抒情的な世界。未収録エッセイや歌詞も。帯文＝峯田和伸（石井岳龍）

ちくま文庫

見《み》えない音《おと》、聴《き》こえない絵《え》

二〇二二年八月十日　第一刷発行

著　者　大竹伸朗（おおたけ・しんろう）
発行者　喜入冬子
発行所　株式会社　筑摩書房
東京都台東区蔵前二―五―三　〒一一一―八七五五
電話番号　〇三―五六八七―二六〇一（代表）
装幀者　安野光雅
印刷所　株式会社精興社
製本所　加藤製本株式会社

ISBN978-4-480-43813-3　C0170